HARRAP

60 years' experience in foreign language teaching

HARRAP

ESPAÑOL

SOBRE RUEDAS

1ª PARTE

LIBRO DE TEXTO

HARRAP

Published in Great Britain 1986 by Harrap Limited,
19-23 Ludgate Hill, London EC4M 7PD

Reprinted 1986, 1987 twice

ISBN 0 245-54445-3

Note
All the characters and incidents in this book and the
accompanying recorded material are fictitious and bear no
relation to any known person, firm or company.

Story written by:
José Amodia Gomez

Based on an original idea by:
Saxon Menné

Music written and produced by:
David Stoll

Recordings mixed by:
David Stoll

Printed at The Bath Press, Avon

INDICE

LA SUCURSAL DE PARIS

LA SUCURSAL DE PARIS

Cinta número 1   Cara 1
Un día de primavera

PRIMERA ESCENA: Madrid – en el coche de Julio Gómez
                           y en las oficinas de PATESA

Julio	¡Qué día más hermoso!
Amigo	Sí.
Julio	Vamos a llegar tarde.
Amigo	No. Falta muy poco. Madrid está hermoso en esta época ¿verdad?
Julio	Sí, es ideal en primavera. ¿Dónde te dejo?
Amigo	Trabajo en aquel edificio.
Julio	¿Te dejo aquí mismo?
Amigo	Sí. Vale. Y gracias por haberme traído.
Julio	No hay de qué.
Amigo	Hasta otro día.
Julio	Adiós.
Conserje	¡Hermoso día, don Julio!
Julio	Sí. Buenos días. ¿Dónde aparco?
Conserje	Mire, allí tiene un sitio.
Julio	Bien, gracias.
Julio	Hola. Buenos días.
Colega 1	Buenos de verdad.
Julio	¿Qué? ¿Bien?
Colega 2	Sí. Hola.
Julio	Good morning, Miss Smith.
Miss Smith	Good morning, don Julio.
Antonio	¡Julio!
Julio	Hola, Antonio. ¿Cómo estás?

10

20

Antonio	Bien, gracias. ¿Dispones de un momento?
Julio	¿Cuándo? ¿Ahora?
Antonio	Sí, ahora mismo.
Julio	Bueno, vale.
Antonio	Ven a mi despacho. Eh … Te veo muy alegre.
Julio	Es el buen tiempo. La primavera, el sol … Bueno, ¿qué quieres?
Antonio	Mira, este anuncio. Cosas de transportes. Necesito una traducción en inglés, francés, alemán e italiano.
Julio	No me parece muy difícil.
Antonio	No es tan fácil. Es bastante técnico.
Julio	Lo quieres en inglés, francés y … alemán.
Antonio	Y en italiano también.
Julio	¿Y en catalán?
Antonio	Sí, también, para las oficinas de Barcelona.
Julio	Cualquier agencia de traducciones puede hacerlo.
Antonio	¿Conoces una buena?
Julio	Solemos usar TETLIS.
Antonio	¿TETLIS?
Julio	Sí, creo que es algo así como Traducciones En Todos Los Idiomas.
Antonio	¿Sabes su número de teléfono?
Julio	No lo recuerdo. Lo tengo en mi oficina.
Antonio	¿Puedo pedírselo a Marisa?
Julio	No. Está de vacaciones.
Antonio	¿Te has quedado solo?

30

40

50

3

Julio	Sí. No me importa. Voy a buscarte el numéro de teléfono. Hay otra agencia que usamos a veces …
Antonio	Bueno, lo necesito muy pronto. Antes del día …

PRACTICA 1: Saludos

Guía	Bienvenido. Es éste un programa en el que se aprende escuchando. Escuche las grabaciones una y otra vez y de ese modo llegará a comprender mucho español. Yo le acompañaré. Vamos a escuchar de nuevo las formas de saludar.
Mujer	Buenos días.
Hombre	Buenos días.

* * *

Mujer	Hola.
Hombre	Hola.

* * *

Mujer	¿Qué? ¿Bien?
Hombre	Sí. Hola.

* * *

Guía	Fácil, ¿verdad? Y ahora …
Mujer	¿Cómo estás?
Hombre	Bien, gracias. ¿Y tú?

* * *

Mujer	Bien, gracias.

PRACTICA 2: Solicitando información

Guía	Y ahora alguien quiere saber algo.
Mujer	¿Dispones de un momento?
Hombre	Tengo poco tiempo.
Mujer	Sólo un instante. Ven un momento a mi despacho.
Guía	¡Poco tiempo es!
Hombre	¿Qué quieres?
Mujer	¿Tienes el número de teléfono de la agencia?
Hombre	No, no lo recuerdo.

* * *

	No lo recuerdo. Tengo el número, pero no aquí.	*10*
Mujer	¿Dónde?	
Hombre	En mi oficina.	

* * *

Mujer	No recuerdas el número, pero lo tienes en tu oficina. ¿Puedo pedírselo a Marisa?
Guía	Marisa, claro, es la secretaria.
Hombre	Marisa está de vacaciones.

* * *

Guía	¿Cómo?

Hombre	Está de vacaciones. No está en la oficina hoy. Tiene dos semanas de vacaciones.	*20*

* * *

Guía	Bueno. La secretaria tiene dos semanas de vacaciones, pero el trabajo continúa.

SEGUNDA ESCENA: Madrid – en las oficinas de PATESA

Guía	Hay dos personas a la puerta de la oficina de Julio Gómez. ¿De qué hablan?
Luisa	Buenos días.
Obrero	¿Qué hay?
Luisa	Estoy buscando a don Julio Gómez.
Obrero	¿Sí?
Luisa	¿Es éste su despacho?
Obrero	Pues no lo sé.
Luisa	Es … ésta es la oficina número doscientos quince, ¿no?
Obrero	Así es. Mire, dos, uno, cinco.
Luisa	Bueno, me parece que es la del Sr. Gómez.
Obrero	Pudiera ser. No lo sé.
Luisa	Y usted ¿qué está haciendo?
Obrero	Vaciando la oficina. Tengo que sacarlo todo.
Luisa	¿Es que va a cambiar de despacho el Sr. Gómez?
Obrero	Eso no lo sé. Yo tengo que vaciar la oficina.
Luisa	¿Puedo dejarle un recado?
Obrero	Aquí no. Tengo que vaciar la oficina. Déjelo ahí fuera.
Luisa	No hay nadie.
Obrero	Ya lo sé. Llegan tarde como de costumbre.
Luisa	Bueno, el Sr. Gómez tendrá otra oficina.
Obrero	Pues no lo sé.
Luisa	Pero usted lo está sacando todo.
Obrero	Así es. Todo.
Luisa	Por lo tanto no puede tener su despacho aquí.
Obrero	No lo sé. Supongo que no.

10

20

Luisa	¿Dónde está, entonces, el nuevo despacho del Sr. Gómez? *30*
Obrero	¡Yo que sé! A mí me dijeron que vaciase esta oficina y yo la estoy vaciando.
Luisa	¿Dónde va a poner todas estas cosas?
Obrero	Ahí. En el pasillo.
Luisa	Y luego ¿a dónde van?
Obrero	¡Yo que sé!
Luisa	Muchas gracias, hombre.
Obrero	No hay de qué.

PRACTICA 3: Los números

Guía	Hay una mujer en la oficina de Julio Gómez. Quiere verle. Oigamos otra vez lo que dice.
Mujer	Estoy buscando a don Julio Gómez.

* * *

Guía	E indica el número de la oficina.
Mujer	Esta es la oficina número doscientos quince ¿no?
Hombre	Así es. La doscientos quince.

* * *

Mujer	La oficina de don Julio es la doscientos quince. La mía es la cuatrocientos setenta.
Hombre	¿La cuatrocientos sesenta? *10*
Mujer	No, setenta. Cuatro, siete, cero.

* * *

Hombre	La cuatrocientos setenta.

* * *

La mía es la quinientos sesenta.

* * *

7

Mujer	La cinco, seis, cero.
Hombre	Así es. La quinientos sesenta.

* * *

Guía	Escuchemos ahora los números de forma más sistemática.
Mujer	Uno, dos, tres, cuatro, cinco.

* * *

Hombre	Seis, siete, ocho, nueve, diez.

* * *

Mujer	Once, doce, trece, catorce, quince.	*20*

* * *

Hombre	Dieciséis, diecisiete, dieciocho, diecinueve, veinte.

* * *

Guía	Ahora hasta cien.
Mujer	Veintiuno, veintidós, veintitrés, veinticuatro, veinticinco.

* * *

Hombre	Treinta, cuarenta, cincuenta, sesenta.

* * *

Mujer	Setenta, ochenta, noventa, cien o ciento.

* * *

Guía	Y a partir de cien …
Hombre	Ciento uno, ciento dos, ciento tres, ciento cuatro.

30

* * *

Mujer	Ciento veinte, ciento treinta, ciento cuarenta.

* * *

Hombre	Doscientos, trescientos, cuatrocientos, quinientos.

* * *

Mujer	Novecientos, novecientos noventa y nueve, mil.

* * *

Guía	Vale. Aquí llega Julio Gómez de nuevo.

TERCERA ESCENA: Madrid – en las oficinas de PATESA

Julio	Hola.
Luisa	Hola.
Julio	¿Dónde estará mi libro de direcciones? Necesito un número de teléfono.
Luisa	No, yo no …
Julio	Marisa suele ponerlo aquí. Por aquí, creo.
Luisa	Bueno … yo acabo de llegar. Y no había nadie aquí.
Julio	Es que la secretaria no está aquí. Está de vacaciones. Siempre está de vacaciones cuando la necesito.
Luisa	¿De veras?
Julio	No, bromeaba. Ah, aquí está.
Luisa	Supongo que usted es Julio Gómez.
Julio	Y usted es la secretaria que ha venido a sustituir a Marisa, ¿no?
Luisa	No, yo no.
Julio	¿No? Perdone. ¿Quién es usted?
Luisa	Me llamo Luisa Ortega Márquez.

10

Julio	Lo siento, pensé que era … ¿En qué puedo servirla?	20
Luisa	Eh … ¿No le dice nada mi nombre?	
Julio	Pues no, no me suena.	
Luisa	¿No le han hablado de un nuevo proyecto en París?	
Julio	Sí, algo oí. ¿Por qué?	
Luisa	A eso he venido.	
Julio	Bueno … eh … venga a mi despacho. Sólo tengo que …	
Luisa	Pero … pero su despacho ya no está ahí.	30
Julio	¿Cómo dice?	
Luisa	Estaban vaciándolo. Había un hombre sacándolo todo.	
Julio	Perdone un momento. Dígame. Sí, al aparato. Ah, Antonio. El número de teléfono, sí, aquí lo tengo. Sí, TETLIS. Es el 22.34.21.	

PRACTICA 4: Escuchar para entender (1)

Guía	Los españoles hablan muy de prisa. O al menos así parece. Hay que pedirles que repitan lo dicho.	
Hombre	No le entiendo. Habla usted muy de prisa.	
Mujer	Hablo a una velocidad normal. Hablo el español como usted el inglés.	
Hombre	Es muy rápido.	
Mujer	Lo parece. Pero sólo se requiere práctica. Usted entiende su propio idioma ¿verdad?	
Hombre	¿Mi idioma? Desde luego.	10
Mujer	¿Cuántas horas tuvo que pasar practicando?	
Hombre	¿Cómo?	

Mujer	Sí. ¿Cuántas horas cree que se ha pasado escuchando su propio idioma?
Hombre	Pues … no lo sé. Años. En horas, cientos, miles de horas.
Mujer	Y ahora lo entiende ¿no? Es fácil. Pasó cientos, miles de horas escuchándolo. Ahora haga algo parecido con el español. Pase mucho tiempo escuchándolo.
Hombre	¡Uf! ¡Me haré viejo!
Mujer	No tanto. Al principio va a entender muy pocas palabras. Algunas no va ni a oírlas. No se preocupe. Siga escuchando. Acostúmbrese a escuchar.
Hombre	De acuerdo.
Mujer	Olvídese de las palabras. Trate de captar el sentido general.
Hombre	¿El qué?
Mujer	El sentido general. Las ideas en general. El tema de que se habla. Escuche y verá cómo, poco a poco, con la práctica va entendiendo.
Hombre	Esperemos que sí.
Mujer	Practique, practique.
Guía	Una joven, llamada Luisa Ortega, estaba en la oficina con Julio Gómez. ¿Recuerda? Julio estaba hablando por teléfono.

20

30

CUARTA ESCENA: Madrid – en las oficinas de PATESA

Julio	Llámales. De acuerdo, Antonio. Vale. Adiós. Tiene que perdonar.
Luisa	No tiene importancia.
Julio	Bien, vamos a mi despacho.
Luisa	Es que su despacho ya no lo es.

Julio	Pero, ¿cómo? ¿Qué es esto? ¿Dónde están mis cosas?
Luisa	Eso es lo que le estaba diciendo.
Julio	¡Está vacío!
Luisa	Sí, ya veo.
Julio	Pero, ¿qué ha pasado?
Luisa	Había un hombre aquí.
Julio	¿Quién? ¿Quién era?
Luisa	No sé. Un obrero. Estaba sacándolo todo.
Julio	No, si en este lugar … Lo sacan todo sin decir ni una palabra.
Luisa	Se fue hace cinco minutos.
Julio	¡La cafetera! ¿Dónde está mi cafetera? La cafetera es mía, no es de la empresa.
Luisa	Tal vez esté ahí fuera.
Julio	Más vale que esté … si no armaré un gran lío.
Luisa	Bueno, mire, mire en el pasillo. El obrero lo sacó todo al pasillo.
Julio	Ah, sí aquí están mis cosas. Mi silla, mi mesa. Eso es mío también.
Luisa	No veo cafetera alguna.
Julio	Voy a armar un lío …
Luisa	¿E … Está ahí debajo?
Julio	No, no la veo.
Luisa	Bueno, hable con el encargado de las oficinas.
Julio	¡Va a oírme!
Luisa	Esto ocurrió hace unos diez minutos.
Julio	Pero, ¿cómo voy a trabajar? Sin oficina, sin mesa, sin … sin …
Luisa	Sin cafetera.

10

20

30

Julio	Vaya, no es para reírse.
Luisa	Perdón, pero tiene gracia.
Julio	Voy a armar un lío ... Voy a ir a ver a Jorge inmediatamente.
Luisa	Un ... un momento.
Julio	Mire, ¿puede esperar aquí un poco?
Luisa	No. La verdad, tengo mucho que hacer.
Julio	Bueno, ¿puedo verla otro día?
Luisa	Quedamos de acuerdo en hoy.
Julio	Es que si no lo hago ahora ... ¿Cuánto tiempo va a estar usted aquí? ¿Estará aquí dentro de una hora?
Luisa	No. Pero puedo volver esta tarde si le parece.
Julio	¿Le viene bien?
Luisa	Sí, sí, vale.
Julio	Es que quiero aclarar esto inmediatamente.
Luisa	No, si lo comprendo.
Julio	Esta tarde entonces. Y ... ¿a qué hora?
Luisa	¿A eso de las cuatro?
Julio	A las cuatro. De acuerdo. Hasta más tarde.

40

50

PRACTICA 5: ¿Dónde está?

Guía	¡Pobre Julio! Se ha quedado sin despacho. Y no encuentra la cafetera tampoco. No sabe dónde está. ¿Dónde estará? Vamos a practicar algunas de las expresiones que indican la posición de algo.
Mujer	Esta oficina hay que arreglarla. Voy a poner la mesa al lado de la ventana. El cuadro en esta pared. El sillón debajo del cuadro. Y la

13

	máquina de escribir aquí, encima de esta mesita.	*10*
Hombre	¿Qué dices? ¿Qué vas a cambiar la oficina?	
Mujer	Sí, voy a arreglarla de modo distinto.	
Hombre	¿Dónde vas a poner tu mesa?	

* * *

Mujer	Aquí, al lado de la ventana.
Hombre	¿Y el cuadro ese?

* * *

Mujer	El cuadro en esta pared.
Hombre	¿El sillón, vas a moverlo?

* * *

Mujer	Sí, voy a ponerlo debajo del cuadro.
Hombre	¿Y la máquina de escribir?

* * *

Mujer	La máquina voy a ponerla encima de esta mesita.	*20*
Hombre	Va a quedar muy bien.	
Mujer	Por lo menos mejor ordenada.	
Hombre	Oye, ¿mi cartera, dónde está?	
Mujer	¿Dónde la dejaste?	
Hombre	Aquí, encima de esta silla.	
Mujer	¿Dónde?	

* * *

Hombre	La dejé encima de esta silla.	
Mujer	¿Estás seguro?	
Hombre	Sí.	*30*
Mujer	Pues está dentro de este cajón.	
Hombre	¿Dónde?	

* * *

Mujer	Aquí, dentro de este cajón.
Guía	Aquel mismo día por la tarde …

QUINTA ESCENA: Madrid – en las oficinas de PATESA

Luisa	Bueno, gracias por su ayuda.	
Director	No hay de qué. Para eso estamos. Desde luego, tiene que estar contenta. Un proyecto totalmente nuevo, así por las buenas, y en París.	
Luisa	Sí, me hace mucha ilusión.	
Director	Es un trabajo importante para una persona de su edad. Deben tener buena opinión de usted en DATASA.	
Luisa	Es un tipo de trabajo que me gusta.	10
Director	¿Quiere tomar un café?	
Luisa	No, gracias. ¿Qué hora es? Tengo que ir a ver a Julio Gómez.	
Director	Ah, a Julio. Es un ingeniero muy bueno. Le causará buena impresión.	
Luisa	Quedamos en vernos a las cuatro. Y ya es casi la hora.	
Director	Muy bien. Bueno, si en algo puedo servirla, aquí estoy.	
Luisa	Muchísimas gracias.	20
Julio	Adelante.	
Luisa	Hola.	
Julio	Ah, pase.	
Luisa	¿Está libre ahora?	
Julio	Desde luego. Siento lo de esta mañana. Tuve que dejarla plantada.	
Luisa	No tiene importancia.	

15

Julio	Dígame. ¿En qué puedo servirla? Perdón, ¿cómo dijo que se llamaba?
Luisa	Luisa. Luisa Ortega. *30*
Julio	Claro, Luisa Ortega. Perdone, pero siempre se me olvidan los nombres.
Luisa	A mí también. Recuerdo las caras, pero los nombres casi nunca.
Julio	Bueno, yo me llamo Julio.
Luisa	No, eso ya lo sé. Tan mala memoria no tengo.
Julio	¿Y en qué puedo servirte? No te importará que te tutee …
Luisa	No, lo prefiero. Quería … *40*
Obrero	¿Vale ahora?
Julio	No, mire … ¿No ve que estoy ocupado?
Obrero	Lo siento, pero usted dijo a las cuatro y ya pasa de las cuatro.
Julio	Bueno, oiga, espere unos diez minutos.
Obrero	Lo siento, pero ya pasa de las cuatro. Y yo me voy a las cuatro y media.
Luisa	¿Qué es lo que quiere?
Obrero	Tengo que meter todo esto aquí. Todo esto. Antes de las cuatro y media. Y ya pasa de las *50* cuatro. Y estoy solo.
Julio	Cinco minutos solamente.
Obrero	Lo siento. Voy a empezar ahora mismo.
Luisa	¿No podemos buscar otra oficina?
Julio	Podemos probar.
Luisa	¿Usted sabe si hay alguna otra oficina libre?
Obrero	No tengo ni idea. Lo siento.
Julio	Vamos a mirar.

PRACTICA 6: Cómo pedir perdón y darse a conocer

Guía	Julio y Luisa están empezando a conocerse, aunque con dificultad y con muchos perdones. Vamos a oír algunas expresiones de ese tipo.
Hombre	Tome, una taza de café.
Mujer	Muchas gracias. ¡Ay, ay!
Hombre	Perdón.
Mujer	¡Ay, lo siento! La culpa es mía. Ha caído en esos papeles. Lo siento muchísimo.
Hombre	No tiene importancia. Y en su ropa también.
Mujer	Ah, sí. No se preocupe.
Hombre	Perdón, ¿cómo dijo que se llamaba? Lo siento pero siempre se me olvidan los nombres.

10

* * *

Mujer	A mí también. No tiene importancia.
Hombre	¡Oh! hay café por todas partes.

* * *

Mujer	Lo siento muchísimo.

* * *

Hombre	No tiene importancia.
Mujer	Y siento llegar tarde.

* * *

Hombre	No se preocupe.
Mujer	Bueno, le dije a las cuatro y ya pasa de las cuatro.

20

* * *

Hombre	No tiene importancia. Perdón, ¿cómo dijo que se llamaba?
Mujer	Margarita. Margarita Rey.

17

Hombre	Ah, sí. Y yo José Luis. No te importará que te tutee … Manolita.
Mujer	No, pero es Margarita, no Manolita.
Hombre	¡Oh! ¡Perdón! Lo siento. Ya te dije que los nombres se me olvidan.

PRACTICA 7: Tipos de empresas

Guía	En la sección siguiente se emplean algunas expresiones del mundo de los negocios. Vamos a oírlas primero.
Hombre	Dime algo de esta compañía.
Mujer	Bueno, forma parte de un grupo. La empresa matriz está en California.

* * *

Hombre	Es decir, la empresa matriz es americana.
Guía	La compañía o empresa matriz es la que encabeza un grupo de empresas.
Mujer	La empresa matriz de este grupo es americana y tiene tres empresas filiales. *10*

* * *

| **Hombre** | ¿El grupo, además de la empresa matriz, tiene tres filiales? |

* * *

| **Mujer** | Sí. Una en Francia, otra en Brasil y otra en Venezuela. Tres filiales en total. |

* * *

| **Hombre** | ¿Y la nuestra es la francesa? |
| **Mujer** | Sí, la sucursal francesa. |

* * *

La empresa matriz es americana.

* * *

Nuestra empresa es una de las tres filiales.

* * *

La compañía americana controla nuestra empresa. Formamos parte del grupo.   20

Hombre El grupo no lo controlamos.

* * *

Mujer No. Lo controla la empresa matriz.

* * *

Nosotros sólo somos una sucursal.

Guía Compañía o empresa matriz. Grupo de empresas. Empresa filial o sucursal. Vale. Bueno, Julio y Luisa están buscando una oficina libre. Un sitio para charlar un rato. Vamos a ver si lo encuentran.

SEXTA ESCENA: Madrid – en las oficinas de PATESA

Julio Tiene que haber una oficina libre por aquí. ¿Está vacía ésta? Un momento. No.

Luisa ¿Y ésta de aquí?

Julio ¿Está desocupada?

Luisa Vamos a mirar.

Julio Sí, está libre.

Luisa Pues, aquí mismo.

Julio Bien. Me hablaste de un trabajo en París …

Luisa Bueno, yo trabajo en Barcelona.

Julio ¿En Barcelona? Pero en Barcelona no tenemos sucursal.   10

Luisa No, vosotros no. Yo trabajo en DATASA. En la central de Barcelona.

Julio	Ah, DATASA, claro. Pertenece a nuestro grupo ¿no?
Luisa	Bueno, es al revés. DATASA es la empresa matriz. DATASA controla esta compañía.
Julio	¿Sí?
Luisa	PATESA es filial de DATASA.
Julio	¿Estás segura? Porque yo tenía entendido que pertenecíamos a otro holding.
Luisa	Sí, son los que controlan a DATASA. Y DATASA a tu empresa.
Julio	Ah … Y tú trabajas en las oficinas de DATASA en Barcelona.
Luisa	Trabajaba. Ahora me voy a París.
Julio	¿A las oficinas de DATASA en París?
Luisa	No.
Julio	¿A nuestras oficinas, entonces?
Luisa	No, tampoco.
Julio	¿Entonces? ¿A las que el holding tiene en París?
Luisa	Mejor será que te lo explique.
Secretaria	¡Ay, perdón!
Luisa	Es que … necesitábamos un cuarto …
Secretaria	Pues éste no está disponible.
Julio	¡Cómo que no!
Secretaria	Tengo que cerrar todas las puertas. ¿Tiene usted llave?
Julio	No.
Secretaria	Pues, lo siento, pero me voy y tengo que cerrar esta oficina antes de irme.
Julio	¡Por el amor de Dios!

20

30

40

Luisa	Bueno, creo que deberíamos irnos. Pero ¿adónde?
Secretaria	Todo el mundo se va ahora. Tal vez puedan encontrar otro sitio.
Julio	Algo encontraremos.
Luisa	Bueno, como te decía, lo de París ...
Julio	Oh, no importa. No era más que curiosidad. *50*
Luisa	Pues debería importarte, porque te afecta a ti también.
Julio	¿A mí? ¿Cómo?
Luisa	Porque tú también tienes que ir a París.
Julio	¿Yo?
Luisa	Sí, tú.
Julio	¿Qué voy a hacer yo en París?
Luisa	Tú aceptaste ¿no?
Julio	¿Acepté el qué?
Luisa	Ir a trabajar en el proyecto de París. *60*
Julio	¿Yo? ¿Estás segura?
Luisa	¿No recuerdas haberlo solicitado?
Julio	Bueno, se me pasó por la cabeza. Me interesaba. Hablé con Juan Ortiz, pero hace meses. No recuerdo que se decidiese nada.
Luisa	Bueno, pues está decidido. Totalmente decidido.
Julio	O sea, que yo tengo que ir a París.
Luisa	Así es.
Julio	¿Sí? ¿Y cuándo? *70*
Luisa	El domingo, en avión.
Julio	¿Qué domingo?

Luisa	El domingo que viene.
Julio	¿Cómo?
Luisa	Empiezas la semana próxima. Tienes que tomar el avión del domingo.
Julio	¿Este domingo?
Luisa	Sí, este domingo.
Julio	Pero …
Secretaria	Por favor, ¿pueden irse a otra parte? Quiero cerrar.
Luisa	Creo que debemos irnos.
Secretaria	Si me hacen el favor …
Julio	Que tengo que irme a París este fin de semana. A París. Este fin de semana.

80

Cinta número 1   Cara 2
El viaje a París

PRIMERA ESCENA: Madrid – en el coche y en el piso de Julio

Julio	Ya falta poco. Este es mi apartamento. Pasa, pasa.	
Luisa	Gracias.	
Julio	Por aquí.	
Luisa	Un cuarto muy bonito éste.	
Julio	Sí, no está mal. ¿Quieres tomar algo? ¿Vino? ¿Un café?	
Luisa	No. Vale. Tengo que irme enseguida. Tengo mucho que hacer.	
Julio	Tú te vas mañana a París ¿no?	10
Luisa	Así es.	
Julio	Luego yo me voy el domingo, y nos vemos el domingo por la noche o el lunes por la mañana.	
Luisa	Sí. Si quieres puedes llamarme por teléfono a la oficina.	
Julio	Es tan repentino … Pero … ¿Te importa? Quiero averiguar si me han llamado.	
Luisa	¿Qué es eso?	
Julio	Un contestador automático.	
Luisa	Supongo que es muy útil.	20
Julio	Sí, como yo estoy fuera con frecuencia.	
Marisa	Julio, soy Marisa. ¿Dónde estabas anoche? Te telefoneé tres veces.	
Luisa	¿Quién es la que habla?	
Julio	Marisa. Mi secretaria.	
Luisa	¿No está de vacaciones?	
Julio	Mmm … sí, sí.	

23

Marisa	Por fin estás en casa. París. Tienes que irte a París. El domingo. Llamé a Barcelona y les dije que te interesaba el trabajo proyectado. *30* Además te vendrá bien. Y tienes que salir el domingo.
Julio	A buenas horas me lo dice.
Marisa	Allí podrás pasarlo muy bien. Yo también quiero ir a París. Iré a reunirme contigo dentro de unas semanas.
Luisa	Una secretaria muy atrevida.
Marisa	Vas a trabajar a las órdenes de una mujer. La Srta. Ortega. Luisa Ortega Márquez. No sé nada de ella. Pero si es guapa no te pases. *40*
Luisa	Vaya, vaya.
Julio	Es una chica un poco celosa.
Marisa	Jorge Sala va a ocupar tu oficina. Mañana vendrán a sacarlo todo. Tendrás que buscarte otra para el resto de esta semana. Puesto que te vas yo les dije que podían hacerlo.
Julio	Muchísimas gracias.
Marisa	Y nada más. Me voy en busca del sol. Te estoy echando de menos. Pórtate bien. Adiós. Te enviaré una tarjeta postal. *50*
Luisa	No sé qué decir.
Julio	Ni yo tampoco.
Luisa	La verdad es que todo está muy claro.
Julio	Supongo que sí. Creo que no hay nada más en la máquina.
Luisa	Bueno, tengo que irme. No tengo que arreglar nada más ¿verdad?
Julio	No, creo que eso es todo. ¿Dónde vas a cenar? Te invito.
Luisa	No, tengo muchas cosas que hacer. *60*

Julio	Bueno, entonces te veré la semana que viene.
Luisa	Sí.
Julio	¿Te acompaño a la puerta?
Luisa	No, no hace falta. A lo mejor te vuelve a llamar Marisa y si no estás otra vez …

PRACTICA 1: Un mensaje grabado

Guía	Hola. Soy yo, el guía. Julio ya sabe por qué tiene que ir a París. Su secretaria, desde luego, parece bastante atrevida. En cuanto a la máquina …
Hombre	¿Qué es esto?
Mujer	Un contestador automático.
Hombre	¿Qué?
Mujer	Sí, es una máquina para grabar las llamadas telefónicas.
Hombre	Yo estas cosas mecánicas no las entiendo.
Elena	Armando, te habla Elena, Elena Marcos. Eh … oye, mi coche está averiado. Está en el garaje. No sé por qué no funciona, pero seguro que no me lo reparan hoy. Quiero saber si puedes llevarme a la oficina mañana por la mañana. No puedo usar el coche de Gerardo porque lo necesita él. ¿Puedes llevarme? Estaré en casa esta noche si quieres llamarme.

10

* * *

Guía	Habla de coches, de un garaje, de ir al trabajo … Vamos a oírlo de nuevo.
Elena	Armando, te habla Elena, Elena Marcos. Eh … oye, mi coche está averiado. Está en el garaje. No sé por qué no funciona, pero

20

25

seguro que no me lo reparan hoy. Quiero
saber si puedes llevarme a la oficina mañana
por la mañana. No puedo usar el coche de
Gerardo porque lo necesita él. ¿Puedes
llevarme?

Hombre ¿A dónde quiere ir? *30*

* * *

Mujer A la oficina. A trabajar.

Hombre ¿Cuándo? ¿A qué hora?

* * *

Mujer Mañana por la mañana.

Hombre ¿Va a ir en su propio coche?

* * *

Mujer No, su coche está en el garaje.

* * *

Quiere que la lleve Armando.

Elena Estaré en casa esta noche si quieres llamarme.

* * *

Mujer Armando tendrá que llamarla por teléfono.

Guía ¿Difícil? Sólo es cuestión de tiempo y
práctica. *40*

SEGUNDA ESCENA: Madrid – en las oficinas de PATESA

Julio Esteban.

Esteban Dime.

Julio ¿Puedo pasar un momento?

Esteban Sí, pasa.

Julio Me voy del departamento. Es muy de golpe,
lo comprendo, pero …

Esteban Ya sé. Te vas a París.

Julio	Ah, ¿ya lo sabías?
Esteban	Te vas muy pronto ¿no?
Julio	Sí, así es.

_10_

Esteban	A finales de esta semana, me han dicho.
Julio	Así es. Me voy en el avión del domingo.
Esteban	Podrías habernos avisado antes.
Julio	Bueno, es que …
Esteban	No vamos a tener tiempo para nada.
Julio	Yo tampoco.
Esteban	Y Ramón se queda solo.
Julio	Me temo que sí.
Esteban	Tendrá que hacer él todo el trabajo.
Julio	Estoy seguro que se arreglará.

_20_

Esteban	¿Tú crees?
Julio	Sí. Además hay poco trabajo ahora. El departamento está más bien tranquilo.
Esteban	Menos mal.
Julio	Comprendo que os va a crear dificultades.
Esteban	Tendremos que arreglarnos.
Julio	Ah, otra cosa, Esteban.
Esteban	Dime.
Julio	Es que ayer, cuando sacaron las cosas de mi oficina desapareció algo. Algo que era mío.

_30_

Esteban	¿Sí? ¿El qué?
Julio	Pues, una cafetera. Era mía. Alguién debió de pensar que era de la empresa, pero no, es mía. Y no la encuentro por ninguna parte.
Esteban	¿Una cafetera, dices?
Julio	Sí, una máquina de hacer café. Eléctrica. De color crema. La compré el mes pasado.

Esteban	Mira, Julio. No esperarás que me preocupe por tu cafetera. Me dices que te vas dentro de cuatro días. Esto va a crear problemas 40 para Ramón y para el resto del departamento. Para mí también. ¿Qué van a pensar los clientes? Tengo que decirte que no está bien. Y tú me pides que te busque la cafetera.
Julio	Bueno, créeme que lo siento.
Esteban	Mira, Julio, adiós y … que te vaya bien en París.
Julio	Gracias.
Esteban	Y, ahora, si me lo permites, tengo que seguir trabajando. 50
Julio	Faltaría más. Adiós. ¡Jo, qué mal humor!

PRACTICA 2: Los días de la semana

Guía	Julio se va a París. Se va muy pronto. El domingo que viene. Y hoy es lunes.
Hombre 1	Pregúntale cuándo es.

* * *

Hombre 2	¿Cuándo es?
Mujer	Empieza el lunes.
Hombre 1	Pregúntale qué lunes.

* * *

Hombre 2	¿Qué lunes?
Mujer	El lunes que viene.
Hombre 1	Pregúntale cuántos días faltan.

* * *

Hombre 2	¿Cuántos días faltan? 10
Mujer	Seis días. Hoy es martes.
Hombre	¿Qué día es hoy?

* * *

Mujer	Hoy es martes.
Hombre	¿Y ayer?

* * *

Mujer	Lunes.
Hombre	¿Y mañana?

* * *

Mujer	Miércoles.
Hombre	¿Y pasado mañana?

* * *

Mujer	Jueves.
Hombre	¿Y dentro de tres días?	20

* * *

Mujer	Viernes.
Hombre	¿Y el fin de semana?

* * *

Mujer	Sí, sábado y domingo.
Hombre	Y el domingo es cuando tengo que irme.
Mujer	Sí, porque el lunes que viene empieza el trabajo.
Guía	Mientras tanto Luisa va hoy en avión a París. Veamos si ya ha llegado al aeropuerto de la capital francesa.

TERCERA ESCENA: **París – en el aeropuerto y en el coche de Marta Vargas**

Marta	Perdone, ¿es usted la señorita Ortega?
Luisa	Sí, soy yo.
Marta	He venido a buscarla. Me llamo Marta Vargas.
Luisa	Encantada.
Marta	Bienvenida a París. ¿Qué tal el vuelo?

Luisa	Bien. Rápido y cómodo.
Marta	Tengo el coche ahí fuera.
Luisa	Le agradezco mucho que haya venido a buscarme. Usted no es francesa ¿verdad? Lo digo por el nombre.
Marta	Soy argentina. Pero hace años que vivo aquí.
Luisa	¿Y vive en París mismo?
Marta	Sí. Bueno, en las afueras. A unos veinte minutos en coche.
Luisa	¿Casada?
Marta	Sí, con un inglés.
Luisa	¿En qué trabaja su marido?
Marta	Es profesor.
Luisa	Ah, ¿su marido se dedica a la enseñanza aquí en París? ¿De qué es profesor?
Marta	De historia. Pero está en paro. Buscando trabajo.
Luisa	¿Es difícil conseguir trabajo aquí?
Marta	No es fácil. Y siendo extranjero menos. Además no domina bien el francés todavía.
Luisa	Lo cual quiere decir que no puede trabajar en un colegio francés.
Marta	Así es, así es. Claro que aquí en Paris hay muchos colegios internacionales y tal vez pueda encontrar empleo en uno de ellos. De momento yo soy la que gano el pan.
Luisa	Y usted ¿qué nacionalidad tiene?
Marta	Como le dije soy de la Argentina pero he adquirido nacionalidad francesa porque llevo aquí varios años y me da ciertas ventajas. ¿Habla usted el francés?

10

20

30

Luisa	Mmm … regular. Me defiendo. Lo estudié, pero lo uso poco. Creo que hablo mejor el inglés.
Marta	Sabiendo inglés y español no tendrá problemas. Tiene habitación en el Hotel France.
Luisa	¿Está en el centro?
Marta	Sí, muy céntrico. Si necesita algo no tiene más que llamarme.
Luisa	Gracias. Bueno, lo primero que tengo que hacer es buscarme un apartamento y unas oficinas.
Marta	Con las oficinas no tendrá problema, pero el apartamento … no sé.
Luisa	El señor Leconte prometió ayudarme. Conoce París muy bien.
Marta	Ah, el señor Leconte. No está en mi departamento, aunque he oído hablar de él. Ya llegamos.
Luisa	Bueno, muchas gracias.
Marta	No hay de qué. Poco equipaje trae.
Luisa	Me basta de momento. Dentro de unos días me llega el resto.
Marta	Bienvenida y hasta otro día.
Luisa	Adiós y gracias.

40

50

PRACTICA 3: Nacionalidades y trabajos

Guía	Vamos a oír de nuevo algunas de las palabras y expresiones que se emplean para indicar la nacionalidad o el trabajo de una persona. Escuche atentamente.
Hombre	Este señor es Mr. Smith. Peter Smith. Es de Inglaterra.

* * *

Mujer	Es inglés. Y aquí tenemos a monsieur Jean-Claude Courtin. De Francia.

* * *

Hombre	Es francés. Y esta señora es Frau Anneliese Schneider. Vive en Alemania.

10

* * *

Mujer	Sí, es alemana. ¿Y la signora Lorena Maretti? De Italia ¿no?

* * *

Hombre	Sí, es italiana. ¿Y la señora Vargas? Es del Perú, pero vive en Francia.

* * *

Mujer	Sí, es francesa. Mientras que el señor Gómez es de España.

* * *

Hombre	Es español. ¿En qué trabaja?
Mujer	Trabaja en una empresa. Es un hombre de negocios.
Guía	Se habló antes de tener o no tener trabajo.
Hombre	¿Y este señor?
Mujer	No tiene trabajo. Está en paro. Es inglés, profesor de historia y está buscando trabajo. Su mujer es del Perú, tiene nacionalidad francesa y trabaja en las oficinas de una empresa.
Guía	Mucho y muy rápido ¿verdad? Vamos a oírlo otra vez más despacio y por partes.
Hombre	¿En qué trabaja?

20

* * *

Mujer	No tiene trabajo. Está en paro.
Hombre	¿Está buscando trabajo?

30

* * *

Mujer	Sí, trabajo de profesor.
Hombre	¿De dónde es?

* * *

Mujer	Es de Inglaterra. Es inglés.
Hombre	¿Y su mujer?

* * *

Mujer	Es del Perú, pero tiene nacionalidad francesa.
Hombre	¿Está en paro también?

* * *

Mujer	No, trabaja en las oficinas de una empresa.
Hombre	¿Es oficinista?

* * *

Mujer	Sí, es oficinista.
Hombre	¿Y el marido?

40

* * *

Mujer	El marido es un profesor sin trabajo.
Guía	Bueno, basta. Al día siguiente Luisa va a las oficinas de la compañía en París. Veamos lo que pasa.

CUARTA ESCENA: París – en las oficinas centrales del holding

Luisa	Con su permiso, M. Leconte.
Leconte	¡Luisa! ¡Qué sorpresa! ¿Cómo estás?
Luisa	Bien, gracias. ¿Y tú, Antoine?
Leconte	Muy bien. ¿Cómo encuentras París?
Luisa	Muy agradable.
Leconte	Y el viaje ¿qué tal?
Luisa	Sin problemas.

Leconte	¿Y el hotel?
Luisa	Excelente.
Leconte	¿Cómo andan las cosas por España? *10*
Luisa	No hay queja.
Leconte	Lo pasamos bien en Barcelona, ¿recuerdas?
Luisa	Claro que lo recuerdo.
Leconte	Yo sentí mucho …
Luisa	… mira, ya hablaremos de esas cosas.
Leconte	Supongo que has venido a preparar el terreno para …
Luisa	Bueno, quiero empezar con las oficinas. ¿Cómo está la situación?
Leconte	Lo siento, pero aquí no tenemos sitio. *20*
Luisa	Eso ya me lo suponía.
Leconte	No tiene sentido. No vais a ser más que cuatro o cinco. Y debería ser posible encontraros sitio en un edificio tan grande como éste. Pero no. Imposible.
Luisa	No, si lo comprendo. Además como pertenecemos a organizaciones distintas, tal vez sea mejor que no estemos aquí.
Leconte	No veo yo por qué. De todos modos, he telefoneado a una agencia inmobiliaria y les he *30* dicho que vas a ir a verles hoy. Creo que es mejor que tú hables con ellos.
Luisa	¿Hoy? ¿A qué hora?
Leconte	Ahora.
Luisa	¿Ahora mismo?
Leconte	Sí, a las nueve y media.
Luisa	Pero si ya son las nueve y media. Vamos, entonces.

Leconte	Un momento. Vamos a tomar un café antes. Además quería … preguntarte algo. *40*
Luisa	¿Sobre qué?
Leconte	Sobre esta noche. ¿Por qué no cenamos juntos? Tú y yo.
Luisa	Desde luego, Antoine, no cambias nada.

PRACTICA 4: La hora

Guía	Vamos a practicar la hora. ¿Recuerda a qué hora tiene que ver Luisa al señor de la agencia inmobiliaria?
Mujer	A las nueve y media.
Hombre	¿Y qué hora es ahora?

* * *

Mujer	Son las nueve y media.
Hombre	¿Y media hora antes?

* * *

Mujer	Las nueve. Son las nueve.
Hombre	¿Y media hora después?

* * *

Mujer	Las diez. Son las diez. *10*
Guía	Son las nueve. Son las nueve y media. Son las diez. Es bastante fácil.
Hombre	Tengo muchas cosas que hacer. A las once tengo que ver al abogado. A las doce menos cuarto tengo que estar en la agencia. Voy a comer a la una y media con unos amigos. Y a las cuatro y veinte tengo que coger el tren para Madrid.
Guía	Y ahora, poco a poco.
Mujer	¿A qué hora tiene que ver al abogado? *20*

* * *

Hombre	A las once.
Mujer	¿A qué hora tiene que estar en la agencia?

* * *

Hombre	A las doce menos cuarto.
Mujer	¿A qué hora tiene que ir a comer?

* * *

Hombre	A la una y media.
Mujer	Y el tren para Madrid, ¿a qué hora sale?

* * *

Hombre	A las cuatro y veinte.
Guía	Claro, los trenes emplean horarios de veinticuatro horas.
Mujer	Las cuatro y veinte son …

30

* * *

Hombre	Las dieciséis veinte.
Mujer	¿Y las diecinueve cuarenta y cinco?

* * *

Hombre	Las ocho menos cuarto.
Guía	Pero, es hora de volver a Madrid. Julio está haciendo los preparativos para irse a París. Y va a una agencia de viajes.

QUINTA ESCENA: Madrid – en una agencia de viajes

Julio	Buenos días.
Agente	Un momento. Vale. ¿En qué puedo servirle?
Julio	Quiero ir a París el domingo.
Agente	¿En avión?
Julio	Sí.
Agente	¿Con qué compañía?

Julio	¿Compañía? No importa. Cualquiera.
Agente	¿En primera clase o clase turista?
Julio	Clase turista.
Agente	¿Por la mañana o por la tarde?
Julio	Por la tarde. A eso de las tres o las cuatro.
Agente	A las quince treinta. Hay un vuelo de Iberia a las quince treinta. Llega a París a las dieciséis cincuenta.
Julio	A las dieciséis cincuenta. Es decir a las cinco menos diez.
Agente	Así es.
Julio	Vale.
Agente	Me dijo el domingo ¿no?
Julio	Sí, este domingo. El … diez.
Agente	El diez. Voy a hacerle la reserva. ¿Me da el nombre, por favor?
Julio	Julio Gómez Díaz.
Agente	¿Vuelo de vuelta también?
Julio	No, ida solamente.
Agente	Vale. Le he reservado plaza para el día diez, en el vuelo de Iberia de las quince treinta.
Julio	Muy bien.
Agente	¿Cómo va a pagar?
Julio	¿Perdón?
Agente	¿Cómo va a pagar el billete? ¿En efectivo, con tarjeta de crédito, con cheque … ?
Julio	Con tarjeta.
Agente	Son veintidós mil quinientas pesetas.
Julio	Tenga.

10

20

30

Agente	Firme aquí, por favor. Aquí tiene: el billete, la tarjeta y el resguardo.
Julio	Gracias.
Agente	Adiós, buenos días.

PRACTICA 5: Sacando un billete de avión

Guía	Julio Gómez acaba de sacar un billete de avión. El y el señor de la agencia de viajes han empleado una serie de expresiones cuyo uso vamos a practicar ahora.
Mujer	Quiero ir a Londres.
Hombre	¿En avión?
Mujer	Sí.
Hombre	¿Quiere billete de ida? ¿O de ida y vuelta?
Mujer	Ida y vuelta.
Hombre	¿Para cuándo lo quiere?
Mujer	Para el viernes.
Hombre	Hay un vuelo a las diez de la mañana.
Mujer	¿Hay algún vuelo por la tarde?
Hombre	Hay uno de British Airways a las cuatro.
Mujer	¿Cuánto tarda en llegar a Londres?
Hombre	Tarda dos horas y media.

* * *

Mujer	¿Llega a las seis y media?
Hombre	Bueno, a las cinco y media hora inglesa.
Mujer	Entonces, me reserva una plaza en el vuelo de las cuatro a Londres.

* * *

38

Hombre	Vuelo de British Airways a Londres, el viernes, tres de julio, a las cuatro de la tarde. ¿Y el viaje de vuelta?

* * *

Mujer	No lo sé. No lo ponga fecha.

* * *

Déjelo abierto.

* * *

Hombre	Muy bien. Aquí tiene. El viaje de vuelta lo dejé abierto.
Guía	¿Qué? ¿Entiende? Si no, vuelva a escucharlo.
Hombre	¿Cómo va a pagar?

* * *

Mujer	En efectivo.

30

* * *

¿Cuánto es?

Hombre	Veintiocho mil pesetas.

* * *

Mujer	¿Veintiocho mil pesetas? No llevo dinero suficiente. Le pagaré con tarjeta.
Hombre	Como quiera.
Guía	Mientras tanto Julio Gómez ha llegado al aeropuerto y está hablando con otro pasajero.

SEXTA ESCENA: Madrid – en el aeropuerto y en el avión

Azafata	Se ruega a los pasajeros con la tarjeta de embarque azul se dirijan al avión. Pasajeros con tarjeta de embarque azul primero, por favor.
Escudero	¿Azul? … es la mía.

Julio	Y la mía. Sólo media hora de retraso. No está mal.
Escudero	¿Va de vacaciones a París?
Julio	No, voy a trabajar allí.
Escudero	¿En qué trabaja?
Julio	Transporte urbano.
Escudero	¿Ah, sí?
Julio	Sí. Trenes, autobuses … sistemas de transporte.
Escudero	¿En París? … Perdone, mi nombre es Manuel Escudero.
Julio	Y el mío Julio Gómez. Tanto gusto.
Escudero	El gusto es mío. O sea que es ingeniero.
Julio	Bueno, ingeniero técnico. Especializado en transportes.
Escudero	Sí, eh … técnico en sistemas de transporte. Y ahora se va a París …
Julio	Mi trabajo es así. Imagínese una ciudad de uno o dos millones de habitantes.
Escudero	Sí.
Julio	Necesitan un sistema de transporte público nuevo. Un metro o un monoraíl aéreo. O una red de tranvías.
Escudero	Sí, y ustedes …
Julio	Nos consultan. Les aconsejamos. Les diseñamos el mejor sistema posible. Y hasta se lo montamos.
Escudero	Ustedes se encargan de todo. Los planos, los vehículos, los trenes …
Julio	Todo. Las empresas de nuestro grupo lo hacen todo. Absolutamente todo.
Escudero	¿Y el coste?

10

20

30

Julio	Nuestros precios son muy competitivos. Creo que trabajamos más barato que cualquier otra empresa. *40*
Escudero	¿Sabe que me interesa lo que dice? Mucho. ¿Puede darme su tarjeta?
Julio	Lo siento, pero no tengo aún la nueva.
Escudero	Yo le daré la mía. Ay, me parece que … no la tengo tampoco. Ah, sí, aquí tengo una, particular.
Julio	Manuel Escudero, Argüelles 12, Madrid.
Escudero	Tal vez pueda ofrecerle algún negocio.
Julio	¿Sí? ¿Usted a qué se dedica?
Escudero	Asesoría de empresas. Pero también *50* mantego contactos con diversos gobiernos y a veces necesito gente como usted.
Julio	Vaya, me alegro.
Escudero	Voy a pedirle un favor. Tomando el ejemplo que me ha dado. Imagínese una ciudad de un millón de personas en el Oriente Medio. Envíeme una nota indicándome cómo empezaría, cómo calcularía el coste, el tiempo que llevaría … ¿Le importaría hacerlo? *60*
Julio	Desde luego que no. Yo le enviaré un bosquejo para que se haga una idea de lo que ofrecemos a nuestros clientes.
Escudero	Se lo agradecería muchísimo.
Azafata	Dentro de unos minutos aterrizaremos en el aeropuerto de París. Por favor, apaguen los cigarrillos y abróchense los cinturones de seguridad.
Guía	Así, pues, Julio ha llegado a París. Parece que las cosas han comenzado bien. Vamos a *70* ver si continúan así en la sección siguiente.

Cinta número 2   Cara 1
Las nuevas oficinas de París

PRIMERA ESCENA: París – en unas oficinas vacías

Agente	Nuestra agencia es de las mejores de París. Y creo que estas oficinas están muy bien. La situación es excelente. ¿Conoce París?
Luisa	No.
Agente	La zona es muy buena.
Luisa	¿Sí?
Agente	Muy buena zona. Céntrica. Un edificio moderno. Están en la tercera planta. ¿Subimos en ascensor o a pie?
Luisa	Vamos a pie.
Agente	Aquí es.
Luisa	¿Qué tamaño tiene?
Agente	Unos sesenta metros cuadrados.
Luisa	Creo que será suficiente.
Agente	Un vestíbulo grande …
Luisa	¿Quién lo ocupaba antes?
Agente	Creo que estaban en algo de televisión. No sé exactamente. Pero … algo de televisión era.
Luisa	Bien.
Agente	Mire, éste es uno de los despachos.
Luisa	Muy pequeño es.
Agente	Un poco, tal vez. Aquí el wáter. Y una coci … bueno, cocinita. Y ésta es la sala de reuniones. Que está muy bien ¿no?
Luisa	¿Cuánto mide? ¿Unos treinta metros cuadrados?
Agente	Sí … Seis metros por cinco … Sí, por ahí.

10

20

Alrededor de treinta metros cuadrados. Tal vez un poco más.

Luisa	Creo que lo usaremos como despacho también.	*30*
Agente	Es un cuarto agradable y claro. Ventanas grandes.	
Luisa	¿Le da el sol?	
Agente	¿El sol? Vamos a ver. El sur. ¿Dónde está el sur? Creo que por allí. Gira en esta dirección … Por la mañana. Sí, le da por la mañana. Y … teléfono. Varios enchufes.	
Luisa	Vale, vale.	
Agente	¿Nos queda algo? Ah, sí. Otra pequeña habitación aquí.	*40*
Luisa	Sí, ya veo.	
Agente	¿Le gusta?	
Luisa	Bueno, aquí en el vestíbulo … podríamos mover un tabique para …	
Agente	… reducir esta zona de entrada.	
Luisa	Supongo que no hay problema.	
Agente	No, no, ninguno.	
Luisa	¿Hay que solicitar permiso?	
Agente	Depende de lo que quiera hacer. Pero mover un tabique es normal. Este es un bloque de oficinas y se cambia la distribución con frecuencia.	*50*
Luisa	Algo me dijo del alquiler.	
Agente	Sí. Tres meses por adelantado.	
Luisa	Y el arriendo es … por tres años.	
Agente	Tres años. Así es.	
Luisa	¿Y si lo necesitamos más tiempo?	

Agente	Bueno, siempre se puede renovar el contrato. No creo que sea difícil.
Luisa	Pues, nada más. Creo que nos sirve. *60*
Agente	Me alegro. ¿Puede venir a la agencia y ultimamos los trámites?
Luisa	Sí, vamos.

PRACTICA 1: Cómo describir una oficina

Guía	Luisa y el señor de la agencia han estado hablando de las nuevas oficinas. Vamos a oír de nuevo las expresiones que emplearon para describirlas.
Hombre	Tiene cuatro habitaciones. Aquí, al entrar, tenemos el …

* * *

Mujer	Vestíbulo, que mide tres por cuatro, es decir …

* * *

Hombre	Doce metros cuadrados. Luego hay un cuarto grande que sirve de … *10*

* * *

Mujer	Sala de reuniones. Y mide seis metros por cinco, es decir …

* * *

Hombre	Treinta metros cuadrados. Hay otros dos cuartos pequeños que van a usar para …

* * *

Mujer	Despachos. Tienen unos tres metros de lado cada uno. Es decir …

* * *

Hombre	Nueve metros cuadrados cada uno, o dieciocho metros cuadrados los dos. Y por último el wáter y la cocina.
Mujer	Es muy pequeña. *20*

* * *

Hombre	Es una cocinita. Para hacer el café y preparar algunas cosas.
Guía	¿Va entendiendo lo que dicen?
Mujer	¿Qué extensión tiene? Son doce metros cuadrados de uno, treinta de otro y dieciocho de los otros dos. En total …

* * *

Hombre	Unos sesenta metros cuadrados. Está en el centro de la ciudad. Cerca de la estación, de los bancos, de las tiendas … Hay zonas de aparcamiento y paradas de autobús cerca. *30* Vamos que …

* * *

Mujer	La situación es excelente. ¿Y cómo es el edificio?

* * *

Hombre	Es un bloque de oficinas moderno.
Mujer	¿Está en la planta baja?

* * *

Hombre	No, está en la tercera planta. En los bajos hay tiendas.
Mujer	¿Cuánto es el alquiler?
Hombre	Son treinta mil francos al año. Y se paga trimestralmente. *40*
Mujer	¿Cuánto es cada trimestre?

* * *

Hombre	Siete mil quinientos francos. Por adelantado.

Mujer	¿Puedo alquilarlo por tres años?
Hombre	Sí. Le hacemos un contrato de arriendo por tres años.
Mujer	¿Y podré renovarlo?
Hombre	A los tres años puede renovarlo o dejarlo, si lo prefiere.
Guía	Creo que todo está bastante claro. Y ahora Julio y Luisa se encuentran en las nuevas oficinas. *50*

SEGUNDA ESCENA: París – en las nuevas oficinas

Luisa	¿Dónde estará? Le dije que a las diez.
Julio	¿Hay alguien? ¡Luisa! ¿Dónde estás?
Luisa	Aquí.
Julio	Ah, por fin. Llevo un rato buscándote.
Luisa	Estoy aquí desde las nueve.
Julio	Creí que era en la segunda planta.
Luisa	Yo te dije que en la tercera.
Julio	Te entendí mal. Perdón. Está muy bien. Bien de luz y amplio.
Luisa	Vamos a ser seis o siete. *10*
Julio	En este cuarto hay sitio para seis personas o más.
Luisa	Creo que era una sala de reuniones.
Julio	Me gusta. ¿Funcionan los teléfonos?
Luisa	Me parece que sí.
Julio	Voy a probar. Oiga. Perdón, me he equivocado de número. Este funciona.
Luisa	El télex lo podemos poner aquí.

Julio	Sí.
Luisa	Y allí la fotocopiadora.
Julio	Lo tienes todo planeado.
Luisa	Mira, éste es tu despacho.
Julio	Bien está. Una mesa, una lámpara, una silla, un sillón. el.teléfono … Todo.
Luisa	Y creo que vamos a mover este tabique para hacer este cuarto mayor.
Julio	Déjame ver. N … no parece difícil. ¿Cosa de un par de días?
Luisa	Van a hacerlo este fin de semana.
Julio	Prisa te das.
Luisa	Y aquí estará la recepción con la secretaria.
Julio	Todo a punto.
Luisa	Bueno, ¿por dónde empezamos?
Julio	Tú eres la que mandas.
Luisa	Lo primero una secretaria. Necesitamos alguien que sepa escribir a máquina.
Julio	¿Dónde encuentro una secretaria?
Luisa	M. Leconte, tal vez pueda ayudarte.
Julio	¿M. Leconte?
Luisa	Sí, M. Leconte de TSI. Las oficinas del holding.
Julio	Sí, creo que le conozco.
Luisa	Se ofreció a ayudarnos.
Julio	Entonces iré a verle.
Luisa	Supongo que a ti se te dará bien elegir secretaria. Las máquinas las quiero enseguida. Y vamos a necesitar acceso a un ordenador.
Julio	Si quieres algo más, me lo dices antes.
Luisa	Ya sabes lo que quiero.

20

30

40

47

Julio	Sí. Unas oficinas en marcha.
Luisa	Así es.
Julio	¿Para mañana?
Luisa	Mejor hoy, si puede ser.

50

PRACTICA 2: El material de la oficina

Guía	Vamos a repasar los nombres de algunas de las cosas que se encuentran en una oficina.
Hombre	¿Dónde puedo poner todos estos papeles, cartas, documentos … ?

* * *

Mujer	Ahí, en el archivo. Hay una carpeta para cada empresa.
Hombre	Y las direcciones, ¿dónde las busco?

* * *

Mujer	En el fichero, por orden alfabético.
Hombre	Como no está la secretaria tengo que escribir yo las cartas.

10

* * *

Mujer	Ahí tienes una máquina de escribir.
Hombre	¿Y eso, qué es?

* * *

Mujer	El télex.
Hombre	¿No tenéis ordenador?

* * *

Mujer	El ordenador está en la otra oficina.
Hombre	¿Y eso, qué es?

* * *

Mujer	Una fotocopiadora. Una máquina de hacer fotocopias.
Hombre	¿Y esto con números? ¿Es para hacer cálculos? *20*

* * *

Mujer	Sí, es una calculadora.
Guía	Bueno, con eso basta. Julio va a ver a M. Leconte para que le ayude a buscar una secretaria. Veamos lo que pasa.

TERCERA ESCENA: París – en las oficinas del holding

Julio	¿Se puede, M. Leconte?
Leconte	Ah, Julio, pase.
Julio	Buenas tardes. He venido a pedirle una cosa.
Leconte	¿En qué puedo servirle?
Julio	En realidad son dos cosas.
Leconte	Dígame.
Julio	Necesitamos una secretaria, una recepcionista.
Leconte	¿Una persona para contestar el teléfono, escribir cartas a máquina y cosas de esas?
Julio	Sí. *10*
Leconte	¿Tiene que saber idiomas?
Julio	Sí. Español, claro, e inglés.
Leconte	¿Hombre o mujer?
Julio	No importa. Supongo que será una mujer. El caso es que sirva.
Leconte	Bueno, hablaré con nuestra sección de personal primero. Hay también algunas agencias. Y, claro, podemos poner un anuncio en el periódico. ¿La necesitan pronto?

Julio	Cuanto antes mejor.	*20*
Leconte	Comprendo. ¿Y qué otra cosa quería?	
Julio	Un apartamento para mí.	
Leconte	Pero ya tiene apartamento ¿no?	
Julio	No, estoy en un hotel. Necesito un apartamento y Luisa me dijo que, tal vez, podría ayudarme.	
Leconte	Tenemos una persona que se encarga de estas cosas. Y la compañía tiene algunos apartamentos. Yo estoy seguro de que le habían reservado algo. Un momento. Voy a averiguar. Monsieur Bosin, s'il vous plaît. Non? OK. Oui. Je suis monsieur Leconte. J'ai ici un Sr. Julio Gómez. Julio Gómez. Oui. Et il cherche un logement, et … Oui, moi, je l'ai cru aussi. Alors … Oui, bon, d'accord. Au revoir. Bosin no está. Pero la chica está segura de que tiene alojamiento. Dos apartamentos, creo. En la misma planta. Los reservó alguien desde Madrid.	*30*
Julio	¿Desde Madrid?	
Leconte	Sí.	*40*
Julio	¿Dos apartamentos?	
Leconte	Sí. Su secretaria, tal vez.	
Julio	¡Puñetas! Ya sé quién fue.	
Leconte	¿Cómo dice?	
Julio	No, nada. ¿Bosin, me dijo?	
Leconte	Sí. Estará de vuelta dentro de diez minutos. Su despacho es el número once.	
Julio	Voy a hablar con él.	
Leconte	Y yo voy a buscarle una secretaria.	
Julio	Muchas gracias, M. Leconte.	*50*
Leconte	No hay de qué.	

PRACTICA 3: Charlas entre amigos

Guía	Vamos a ver lo que se dicen dos amigos al verse.
Hombre	¿Cómo te va?
Mujer	Bien. ¿Y a ti?

* * *

Hombre	Voy tirando. ¿Marcha todo bien?

* * *

Mujer	Sí, no hay queja. ¿Cómo van los negocios?

* * *

Hombre	Bastante bien. Mucho trabajo pero poco dinero … ya sabes. Y los tuyos ¿qué tal?

* * *

Mujer	Hombre, bastante bien también. Tenemos mucho trabajo en esta época del año. ¿Qué tal la familia?

10

* * *

Hombre	Todos bien. ¿Y la tuya?

* * *

Mujer	Todos bien, gracias. ¿Cómo está tu jefe?

* * *

Hombre	Muy bien. Trabajando mucho, como siempre.
Guía	Bueno, basta de saludos e intercambios amistosos. Julio Gómez quiere averiguar algo sobre su apartamento.

CUARTA ESCENA: París – en las oficinas centrales del holding

Julio	Excusez-moi, Mademoiselle. Est-ce que …
Secretaria	Puede hablarme en español si quiere.
Julio	¿Sí?
Secretaria	En la oficina todos hablamos español.

Julio	Menos mal.	
Secretaria	¿Quiere ver a M. Bosin?	
Julio	Si es posible.	
Secretaria	No está aquí ahora. Pero creo que está a punto de volver.	
Julio	¿Puedo esperarle?	*10*
Secretaria	Desde luego. Siéntese ahí. Me parece que acaba de llegar. Voy a decirle que está aquí.	
Julio	Muchas gracias, señorita.	
Secretaria	No hay de qué.	
Bosin	El Sr. Gómez ¿no?	
Julio	Sí. Julio Gómez.	
Bosin	Siéntese. Siento haberle hecho esperar.	
Julio	No tiene importancia.	
Bosin	Supongo que … ha venido a verme por lo de los apartamentos.	*20*
Julio	Así es.	
Bosin	Tenemos dos apartamentos de la compañía que podrían interesarle. Un poco caros, tal vez, pero, al parecer, el precio no importa.	
Julio	¿Cómo dice?	
Bosin	Son dos apartamentos para ejecutivos. La renta … veinte mil francos al mes.	
Julio	¡Veinte mil francos! Mire, me temo que ha habido una equivocación.	
Bosin	¿Qué quiere decir?	*30*
Julio	A usted le escribieron de Madrid …	
Bosin	Eso es.	
Julio	Una carta ¿de quién?	
Bosin	No, no, fue un télex. Firmado por … un momento, lo tengo aquí. Ah, sí. M. Ruiz.	

Julio	Marisa Ruiz ¿eh? Me temo que se trata de un error.
Bosin	¿Sí?
Julio	Sí, un malentendido. Lo que yo quiero es un lugar pequeño y barato.

40

Bosin	¿Cómo?
Julio	Muy pequeño y muy barato. Cuanto más pequeño mejor. Me basta con una habitación. Un apartamento de soltero. Algo muy pequeño.
Bosin	Bueno, eso va a ser difícil. Yo le ofrecía estos dos apartamentos de la compañía … La cuestión del alojamiento está muy mal en París. No va a ser fácil encontrar algo barato.
Julio	Mire, ayúdeme si le es posible.

50

Bosin	Haré lo que pueda.
Julio	Le quedaré muy agradecido. Veinte mil francos al mes … ¡Marisa está loca!

PRACTICA 4: Cómo aclarar un malentendido

Guía	Julio va a tener que pararle los pies a Marisa. La chica se está pasando. Lo metió en un apuro con lo del apartamento y él tuvo que rectificar el error. Escuchemos otra vez algunas de las expresiones que empleó para excusarse.
Hombre	Ha habido una equivocación.
Mujer	¿Cómo?

* * *

Hombre	Ha habido una equivocación.
Mujer	¿Una equivocación?

10

Hombre	Sí. La renta es más alta.

* * *

Mujer	¿La renta es más alta?
Hombre	Sí, son ocho mil francos.
Mujer	¿Ocho mil francos? Pero me había dicho seis mil.

* * *

Hombre	Sí, pero ha habido una equivocación.
Mujer	¿O sea que no son seis mil francos?

* * *

Hombre	Me temo que no. Ha habido un malentendido.

* * *

Lo siento.   20

Mujer	Pero su carta decía seis mil francos.
Hombre	Ya lo sé. La carta decía seis mil francos.

* * *

Me temo que se trata de un error.

* * *

Mujer	Un error bastante caro. Un error de dos mil francos.

* * *

Hombre	Sí, me temo que sí.

* * *

Lo siento.

Guía	Aclarado el error, sigamos adelante.

QUINTA ESCENA: París – en las nuevas oficinas

Luisa	Julio.
Julio	Dime.
Luisa	Mira, ya estamos todos aquí. Jaime y Pablo acaban de llegar de Barcelona.

54

Julio	Me alegro.
Luisa	Voy a presentártelos. Espera aquí.
Julio	Vale.
Luisa	Ah, se me olvidaba. Hay una carta para ti.
Julio	¿Para mí?
Luisa	Sí, llegó esta mañana.
Marisa	Mi adorable Julio…
Julio	Adorable puñetas.
Marisa	Te envío unas líneas desde Sorrento, donde hace tiempo un tiempo ideal. El sol me está poniendo muy morena. Los italianos son guapísimos. Estoy teniendo mucho éxito. Hay uno llamado Luigi que me chifla.
Julio	Con un poco de suerte se queda en Italia.
Marisa	Pero está casado y además ya sabes que tú eres el único que me interesa.
Julio	Mi gozo en un pozo.
Marisa	He hecho algunos preparativos para el futuro. Envié un télex a la central de TSI pidiéndoles que reserven dos apartamentos.
Julio	Esta Marisa está loca.
Marisa	Yo puedo trabajar ahí de secretaria y con los dos sueldos, el tuyo y el mío, podemos vivir como reyes.
Julio	¡Déjame en paz!
Luisa	¿Qué dices?
Julio	¿Eh? … No, nada, nada.
Luisa	¿Buenas noticias?
Julio	¿Qué?
Luisa	¿Que si la carta te trae buenas noticias?
Julio	No, nada de importancia.

10

20

30

Luisa	Pues es bien larga.
Julio	Hmm …
Luisa	¿Qué, la terminas?
Julio	Sí, sí, ahora voy.
Marisa	… podemos vivir como reyes. Bueno, me voy a la playa otra vez. Quedé en ver a Luigi. Está enseñándome a hacer el esquí acuático. O, al menos, eso es lo que dice. Yo creo que busca otra cosa. Los hombres sois todos iguales. Compórtate bien. No te líes con tu jefa. No me fío de ella. No quiero que nuestro futuro …
Luisa	¿Qué? ¿Ya has terminado?
Julio	Sí. A tu disposición.
Luisa	Bueno, ahora que estamos todos aquí, voy a presentaros. Este es Julio Gómez, ingeniero técnico, especialista en sistema de transportes.
Julio	Ese soy yo.
Luisa	Y éste es Jaime Tusell que va a ser el jefe de finanzas, el que va a encargarse del dinero. Hasta ahora trabajaba, como yo, en la central de DATASA en Barcelona.
Julio	Encantado.
Jaime	Encantado.
Luisa	Y Pablo Ríos, también de DATASA. Abogado. Va a encargarse del marketing. Conviene tener a alguien que entienda el derecho internacional.
Julio	Tanto gusto.
Pablo	El gusto es mío.
Luisa	Bueno, creo que constituimos un buen equipo y espero que tengamos éxito.
Julio	De eso no hay duda. A trabajar.

40

50

60

PRACTICA 5: Presentaciones

Guía	Vamos a oír y practicar el uso de algunas de las expresiones que se emplean para presentar a una persona.
Hombre 1	Pase, pase. Voy a presentarle al Sr. Pardo. El Sr. Pardo es representante de Transportes Unidos.
Mujer 1	Mercedes Abril, del departamento de ventas. Encantada de conocerle.

* * *

Hombre 2	Encantado.
Hombre 1	Y ésta es Josefina Gamonal, asesora jurídica de la empresa.

10

* * *

Mujer 2	Tanto gusto, Sr. Pardo.

* * *

Hombre 2	El gusto es mío. Y mi colega, Francisco Ayala. Trabajamos en el mismo departamento.

* * *

Hombre 3	Encantado de conocerles.
Guía	Hechas las presentaciones, comienza el trabajo.

SEXTA ESCENA: En las oficinas de París

Julio	Jaime, tu eres el hombre de las cuentas ¿no?
Jaime	Creo que sí.
Julio	El encargado de las finanzas.
Jaime	Así es.
Julio	Quiero hacer algunos cálculos de costes y precios con tu ayuda.

Jaime	A tu disposición. Eso es lo mío.
Julio	Creo que ya hiciste un trabajo que tenía algo que ver con Jordania.
Jaime	Eso fue hace un par de años. *10*
Julio	Tengo que hacer algo parecido, pero muy general para una ciudad imaginaria en el Oriente Medio.
Jaime	Las condiciones varían mucho. No sé hasta qué punto puedes preparar un plan basándote en otro.
Julio	No, no, comprendo. No es más que un cálculo aproximado. No se trata de un estudio preliminar siquiera.
Jaime	Bueno, sin más información tendrá que ser así. *20*
Julio	Sí …
Julio	Dos cartas … con fecha de hoy. Eh … dieciséis de mayo. Estimado señor … ¿Cómo se llama? Ah, sí. Estimado señor Escudero. Eh … Me pidió que le enviase información sobre los servicios de nuestra empresa. Punto. Adjunto le remito un documento con cálculo aproximado de coste … costes y precios para el caso que me indicó. Punto. Estoy seguro … que ha de gustarle. No. Estoy seguro que ha de interesarle. *30* Punto. Perdone el retraso de mi carta, coma, debido a que estamos montando nuestras oficinas en París. Punto y aparte. Eh … A la espera de su respuesta, coma, le saluda atentamente. Julio Gómez. Segunda carta. Eh … Esta es para la Srta. Marisa Ruiz. Dirigida a las oficinas de PATESA en Madrid. Estimada Srta. Ruiz. Hemos recibido su télex del 13 de mayo, coma, pidiendo la reserva de dos apartamentos para *40* don Julio Gómez. Punto. Sentimos no poder complacerla. Punto. En este momento no tenemos ninguno disponible. Punto. Al Sr.

Gómez le hemos ofrecido un apartamento pequeño de una habitación. Eh … ponga muy pequeño, un apartamento muy pequeño. Punto y aparte. Sin otro particular por el momento, coma, le saluda muy atentamente … ¿Quién? ¿Luisa? ¿Pablo? … No. Le saluda muy atentamente, el jefe de administración. Creo *50* que con esto basta.

Julio   Luisa.

Luisa   Ah, Julio, pasa.

Julio   Quiero consultar una cosa contigo. Me encontré a un señor que está interesado en lo nuestro.

Luisa   ¿Sí?

Julio   Sí, por casualidad. Y tal vez nos consiga algún contrato.

Luisa   ¡No me digas!

Julio   Le he escrito para enviarle un cálculo de costes. *60* Para que se haga una idea de lo que ofrecemos. ¿Qué te parece?

Luisa   Ya vi la carta, Julio. Se trata de don Manuel Escudero, ¿no?

Julio   Así es. A lo mejor nos ofrece algún negocio. No estaría mal para empezar. Yo no sé quien es, pero …

Luisa   ¿Dónde le conociste?

Julio   En el avión. Me causó muy buena impresión. Me dijo que conocía mucha gente a nivel *70* gubernamental. Me pareció una persona seria.

Luisa   Claro que lo es.

Julio   ¿Cómo? ¿Le conoces?

Luisa   ¿Sabes por qué te dio su dirección particular y no la de la empresa?

Julio   No. ¿Por qué?

Luisa   Es el jefe de ventas de TESA, la empresa que
más competencia nos hace.

Julio   ¡No es posible!

Luisa   Claro que lo es. Y no me parece muy acertado   *80*
escribirles para que vean cómo trabajamos.

Julio   Lo siento, Luisa. Voy a cancelar el envío.

Luisa   No hace falta. Ya lo he hecho yo.

Guía   Pobre Julio. Mal empieza.

Cinta número 2   Cara 2
Me voy a Barcelona

PRIMERA ESCENA: En las oficinas de París

Luisa	Julio … Julio.
Julio	Ah, Luisa. Hola, ¿qué tal?
Luisa	Bien, bien.
Julio	Hace días que no te veo.
Luisa	El trabajo. He estado muy ocupada.
Julio	Pues yo no.
Luisa	¿Tienes algo entre manos?
Julio	Sí, ¿no ves? El periódico, una taza de café …
Luisa	Quería preguntarte lo que tienes programado para esta semana.
Julio	¿Esta semana?
Luisa	Sí, esta semana.
Julio	Bueno, el miércoles me voy a Barcelona. Voy a estar fuera tres días.
Luisa	¿A la reunión del comité de empresas?
Julio	Sí.
Luisa	¿Y hoy?
Julio	Voy a entrevistar a una chica para el puesto de secretaria.
Luisa	¿Alguna otra cosa, hoy o mañana?
Julio	Absolutamente nada. Lo cual es desmoralizante.
Luisa	¿Por qué?
Julio	¿Por qué? Porque me aburro. No hay trabajo. Sentado aquí todo el día esperando a que suene el teléfono.

10

20

Luisa	¿Qué quieres? Estamos empezando. Esto lleva tiempo.
Julio	De acuerdo. Pero no me gusta estar sin hacer nada. *30*
Luisa	Pronto tendrás más trabajo.
Julio	Esperemos que sí.
Luisa	Bueno, ¿por qué no vienes conmigo a la central de ordenadores?
Julio	¿Para qué?
Luisa	Ha de interesarte.
Julio	¿A qué hora vas?
Luisa	Tengo que estar allí a las doce. O sea que me iré a eso de las once y media.
Julio	No. A esa hora tengo la entrevista. *40*
Luisa	Qué se va a hacer. Hasta más tarde.
Julio	Adiós.
Luisa	Adiós.
Julio	Tendré que leerme el periódico otra vez.

PRACTICA 1: El programa del día

Guía	Luisa y Julio estaban hablando de lo que éste tenía programado para el resto de la semana. Vamos a oír una conversación parecida.
Mujer	¿Qué tienes programado para esta mañana?
Hombre	¿Yo?
Mujer	Sí, tú. ¿Qué tienes programado para esta mañana?
Hombre	Bueno, tengo que hacer tres cosas. Ver al jefe a las diez.
Mujer	¿Y después? *10*
Hombre	De once a doce voy a comprobar el estado de ventas.

Mujer	¿Y qué más?
Hombre	Después me iré a comer.
Mujer	O sea que a las diez …

* * *

Hombre	Tengo que ver al jefe.
Mujer	Está muy ocupado. ¿Quedaste en verle?

* * *

Hombre	Sí. Quedé en verle a las diez en punto.
Mujer	¿Cuánto estarás con él?

* * *

Hombre	Una hora aproximadamente.	*20*
Mujer	O sea, hasta las once. ¿Y a las once, dónde vas a estar?	

* * *

Hombre	De vuelta en mi despacho.
Mujer	¿Qué vas a hacer en tu despacho?

* * *

Hombre	Voy a comprobar el estado de ventas.
Mujer	¿Cuánto tardarás?

* * *

Hombre	Más o menos una hora.
Mujer	¿Y después vas a comer?

* * *

Hombre	Sí, iré a comer.
Mujer	¿Y por la tarde?	*30*
Hombre	Ah, voy a echar una siesta.
Guía	Que descanse. Julio va a entrevistar a una chica para el puesto de secretaria. Oigamos la entrevista.

SEGUNDA ESCENA: En las oficinas de París

Linda	Perdone.
Julio	Pase, pase.
Linda	Tengo una entrevista con don Julio Gómez a las once y media. Para el puesto de secretaria y ...
Julio	¿Linda Bloomfield? Sí, pase, pase. Yo soy Julio Gómez.
Linda	Llego con adelanto, pero ...
Julio	Sí, pero no importa. Siéntese.
Linda	Muy amable.
Julio	Tengo su carta por aquí. Ah, sí, aquí está. Eh ... ¿quiere tomar un café antes de empezar?
Linda	No diría que no.
Julio	Esta cafetera lo hace bastante bien. Solía tener otra mejor pero ... desapareció. ¿Leche? ¿Azúcar?
Linda	No, gracias. Solo.
Julio	Aquí tiene.
Linda	Gracias.
Julio	Vamos a ver. ¿Usted ahora en qué trabaja?
Linda	Soy secretaria del gerente de una empresa.
Julio	Y es inglesa, pero habla español, francés y algo de alemán.
Linda	Bueno, alemán muy poco.
Julio	¿Usa los idiomas en su trabajo?
Linda	Sí, porque la empresa exporta mucho. Tiene muchos contactos internacionales.
Julio	¿Y cómo anda de mecanografía y taquigrafía?
Linda	A máquina doy una doscientas cincuenta pulsaciones por minuto. De taquigrafía no ando tan bien porque ahora la uso muy poco.

10

20

30

Julio	¿Escribe mucho a máquina?
Linda	Bueno, depende. Para la correspondencia en general, informes y cosas de esas tenemos un equipo de mecanógrafas. Yo uso mucho el télex.
Julio	¿Le importaría tener que trabajar sola?
Linda	Mucho del trabajo que hago es por mi cuenta. Y me gusta.
Julio	No, me refiero a tener que estar usted sola en la oficina.
Linda	Pues, no lo sé. Siempre he trabajado en oficinas grandes, con otra gente.
Julio	De transportes urbanos ¿sabe algo?
Linda	¿Cómo?
Julio	Sí, sobre el tipo de trabajo que hacemos aquí, la industria del transporte.
Linda	La verdad es que no sé nada.
Julio	¿Por qué ha solicitado el puesto? O sea, ¿por … por qué quiere dejar el empleo que tiene?
Linda	Mi jefe se va. Y el que va a sustituirle trae su secretaria con él. Me ofrecían otro puesto, a un nivel más bajo. Y decidí buscar otra cosa.
Julio	Bueno, creo que basta. Muchas gracias, Miss Bloomfield.
Linda	Gracias a usted.
Julio	Ya le avisaremos.
Linda	¿Cuándo, cree usted?
Julio	Supongo que a fines de esta semana.
Linda	¿A fines de esta semana?
Julio	Sí, porque necesitamos la secretaria lo antes posible. ¿Usted, cuándo puede empezar?
Linda	La semana que viene.
Julio	Bueno, pues ya la escribiremos.

40

50

60

Linda	Adiós, buenos días.
Julio	Adiós.

PRACTICA 2: Entrevistas

Guía	Parece que Linda vale. Yo creo que Julio va a ofrecerle el puesto. Pero ahora vamos a oír algunas de las preguntas que se hacen a una persona que solicita un empleo.
Hombre 1	Pregúntele cómo se llama.

* * *

Mujer	¿Cómo se llama usted?
Hombre 2	Luis Menéndez del Valle.
Hombre 1	Y la edad que tiene.

* * *

Mujer	¿Cuántos años tiene?
Hombre 2	Treinta.
Hombre 1	Y su nacionalidad.

10

* * *

Mujer	¿De dónde es usted?

* * *

¿Qué nacionalidad tiene?

* * *

Hombre 2	Soy de Madrid.

* * *

Soy español.

Hombre 1	Pregúntele los títulos que tiene.

* * *

Mujer	¿Qué títulos tiene?

* * *

¿Algún certificado o diploma?

Hombre 2   Tengo un diploma de estudios empresariales.

Hombre 1   Pregúntele los años que tuvo que estudiar.   *20*

* * *

Mujer   ¿Cuántos años tuvo que estudiar para el diploma?

Hombre 2   Dos años.

Hombre 1   Pregúntele dónde.

* * *

Mujer   ¿Dónde estudió?

Hombre 2   En un Instituto de Estudios Empresariales.

Hombre 1   Pregúntele la experiencia que tiene.

* * *

Mujer   ¿Qué experiencia tiene?

* * *

¿Cuántos años lleva trabajando?

Hombre 2   Trabajé en una empresa durante tres años.   *30*

Hombre 1   Pregúntele lo que hace ahora.

* * *

Mujer   ¿Qué trabajo tiene ahora?

Hombre 2   No tengo trabajo. Estoy parado.

Hombre 1   Pregúntele cuál fue su último empleo.

* * *

Mujer   ¿Cuál fue su último empleo?

Hombre 2   En una compañía de seguros. De agente de seguros.

Hombre 1   Pregúntele el tiempo que pasó allí.

* * *

Mujer	¿Cuánto tiempo trabajó allí?	
Hombre 2	Tres años.	*40*
Hombre 1	Pregúntele si está casado.	

* * *

Mujer	¿Está usted casado?
Hombre 2	Sí.
Hombre 1	Pregúntele si tiene hijos.

* * *

Mujer	¿Cuántos hijos tiene?
Hombre 2	No tengo hijos.
Hombre 1	Pregúntele si le gusta viajar.

* * *

Mujer	¿Le gusta viajar?
Hombre 2	Sí, bastante.
Hombre 1	Pregúntele si habla idiomas. *50*

* * *

Mujer	¿Habla usted algún idioma?
Hombre 2	Bueno, un poco de francés y alemán.
Mujer	Muchas gracias. Ya le avisaremos.
Guía	Es la hora del almuerzo. Luisa y Julio están en una cafetería tomando algo.

TERCERA ESCENA: París – en una cafetería

Julio	Me gusta este lugar.
Luisa	Sí, y se come bien y barato.
Julio	Luisa.
Luisa	Dime.
Julio	¿Sabes que eres muy joven para estar al frente de un proyecto como éste?

Luisa	¿Tú crees?
Julio	Sí, la verdad. Espero que no te parezca una impertinencia.
Luisa	No, qué va. *10*
Julio	Porque la verdad es que hay muy pocas mujeres haciendo este tipo de trabajo.
Luisa	Sí, muy pocas.
Julio	Y encontrarse a una en un puesto de tanta responsabilidad …
Luisa	… es muy raro.
Julio	Sí, muy raro.
Luisa	Tal vez haya tenido suerte.
Julio	Es que … es que pareces tan joven. ¿Te importa que te pregunte la edad que tienes? *20*
Luisa	Ya sabes que a las mujeres no se les pregunta la edad.
Julio	No te veo como mujer. Eres una colega.
Luisa	Vaya, muchas gracias.
Julio	No lo tomes así.
Luisa	No, no. ¿Quieres saberlo? Tengo treinta y tres años.
Julio	¿Treinta y tres? No los aparentas. ¿No has pensado nunca en casarte?
Luisa	Ya estuve casada. Durante dos años. *30*
Julio	¿En Barcelona?
Luisa	Sí, con un catalán.
Julio	Y ¿qué pasó?
Luisa	No salió bien.
Julio	Bueno, ¿qué tal la visita a la central de ordenadores?

Luisa	Bien. Creo que tienen lo que necesitamos. ¿Y tu entrevista? ¿Qué tal la chica?
Julio	Creo que vale.
Luisa	¿Cómo se llama?
Julio	Linda … Linda … No me acuerdo del apellido. Lo tengo en la oficina.
Luisa	¿Nos sirve?
Julio	Sí, sin duda. Es inglesa y habla muy bien el español. Sabe francés y algo de alemán. De personalidad agradable. Tiene experiencia. Lo único es que está acostumbrada a trabajar con otra gente y en nuestra oficina, ya sabes, va a estar sola muchas veces. Ya se lo dije. Es la mejor de todas las que entrevisté. ¿Quieres hablar tú con ella?
Luisa	No, no. Lo dejo en tus manos.
Julio	Pues, entonces, le voy a ofrecer el puesto.
Luisa	¿Cuándo puede empezar?
Julio	Me dijo que la semana que viene.
Luisa	Ya sabes que la necesitamos cuanto antes.
Julio	Sí, ya lo sé.

40

50

PRACTICA 3: Escuchar para entender (2)

Guía	Ya que estamos en una cafetería vamos a escuchar lo que dicen otros clientes. ¿De qué hablan?
Mujer 2	Seguro que sí.
Mujer 1	Creo que no. No recuerdo.
Mujer 2	Bueno, pruébalo, verás qué bien sabe.
Mujer 1	¿Qué lleva?

Mujer 2	Vodka, jugo de naranja, azúcar … varias cosas.
Mujer 1	¿Es muy fuerte? 10
Mujer 2	No … no. Si bebes seis o siete de estos …
Mujer 1	Oh, no podria.
Mujer 2	Sabes, me gustaría organizar una fiesta, una fiesta de verdad, en casa, con cócteles de todo tipo. Los cócteles me vuelven loca.
Mujer 1	Sí, con ambiente de los años veinte. Música de aquella época. Jazz. Y todos vestidos con ropa de la época también.
Mujer 2	Bueno, mujer, prueba éste.
Mujer 1	No me atrevo. 20
Mujer 2	¿Por qué? Pruébalo. Te va a gustar.
Mujer 1	Pues, venga, por la tarde no tengo que ir a trabajar.
Mujer 2	Voy a llamar al camarero para que nos traiga uno a cada una.
Guía	¿Qué, lo entendió? Las dos señoras están hablando de tomar unos cócteles. Vamos a oír la conversación otra vez.
Mujer 2	Seguro que sí.
Mujer 1	Creo que no. No recuerdo. 30
Mujer 2	Bueno, pruébalo, verás qué bien sabe.
Mujer 1	¿Qué lleva?
Mujer 2	Vodka, jugo de naranja, azúcar … varias cosas.
Mujer 1	¿Es muy fuerte?
Mujer 2	No … no. Si bebes seis o siete de estos …
Mujer 1	Oh, no podría.
Guía	Están hablando de un cóctel. Un cóctel de vodka. Bebida fuerte.

71

Mujer 2	Sabes, me gustaría organizar una fiesta, una *40* fiesta de verdad, en casa, con cócteles de todo tipo. Los cócteles me vuelven loca.
Mujer 1	Sí, con ambiente de los años veinte. Música de aquella época. Jazz. Y todos vestidos con ropa de la época también.
Guía	Una fiesta. Con cócteles. Música. Jazz. Ropa de los años veinte.
Mujer 2	Bueno, mujer, prueba éste.
Mujer 1	No me atrevo.
Mujer 2	¿Por qué? Pruébalo. Te va a gustar. *50*
Mujer 1	Pues, venga, por la tarde no tengo que ir a trabajar.
Mujer 2	Voy a llamar al camarero para que nos traiga uno a cada una.
Guía	Mientras tanto Luisa y Julio están de vuelta en la oficina.

CUARTA ESCENA: En las oficinas de París

Julio	Lo antes posible. Sí, el lunes por la mañana. Sí, sí. Bueno. Vale. Adiós. Hasta el lunes.
Luisa	Oye, Julio …
Julio	Ya tenemos secretaria.
Luisa	¿Sí?
Julio	Sí. Era ella. Linda Bloomfield se llama.
Luisa	¿Cuándo va a empezar?
Julio	El lunes.
Luisa	No está mal. Mira esto que ha llegado hoy.
Julio	¿De qué se trata? *10*
Luisa	Una invitación para el jueves, en Barcelona. Hotel Colón.

Julio	De la I.M.C.
Luisa	Creo que van a presentar un nuevo sistema de control integrado.
Julio	Tiene que ser interesante.
Luisa	Desde luego, es cosa tuya. Demasiado técnico para mí.
Julio	¿El jueves, dijiste?
Luisa	Sí, el jueves a las cuatro.

_20_

Julio	El jueves a las cuatro … Saben elegir la hora. Así no tienen que ofrecer más que una taza de café a los asistentes. De todos modos merecerá la pena porque es una empresa que trabaja bien, y si es un sistema nuevo …
Luisa	Tú vas a estar en Barcelona ¿no?
Julio	Sí, a partir del miércoles. ¿Cómo nos llegó la invitación?
Luisa	A través de DATASA en Barcelona.
Julio	Pues me gustaría ir.

_30_

Luisa	¿Quieres que les mande un télex?
Julio	Si me haces el favor.
Luisa	Avisaré también a las oficinas de DATASA. Fermín Díaz seguro que va. El puede presentarte a mucha gente. Siempre va a este tipo de reuniones.
Julio	Oiga. ¿Oficinas de Iberia? Quiero reservar una plaza para Barcelona. El miércoles por la tarde. Sí, por la tarde. Sí, sí. El regreso el … sábado por la mañana. Y … ¿a qué hora llega? Me va muy bien. El nombre … Julio Gómez Huidobro. Con H. H, u, i, d de dinero, o, b de Barcelona, r, o. ¿Me puede reservar hotel para tres noches también?

_40_

PRACTICA 4: El alfabeto en español

Guía	Esta va a ser una práctica muy sencilla. Cómo deletrear en español.
Hombre	a, b, c, ch

* * *

Guía	La c y la h juntas se consideran como una sola letra.
Mujer	d, e, f, g

* * *

Hombre	h, i, j, k

* * *

Mujer	l, ll, m

* * *

Guía	¿Se ha fijado? La l doble es una ll.
Hombre	n, ñ, o

10

* * *

Guía	La ñ, n con tilde, como en año.
Mujer	p, q, r

* * *

Hombre	s, t, u, v

* * *

Mujer	w, x, y, z

* * *

Guía	Y ahora vamos a deletrear algunas palabras.
Hombre	Londres.

* * *

Mujer	L mayúscula, o, n, d, r, e, s. Barcelona.

* * *

Hombre	B mayúscula, a, r, c, e, l, o, n, a. Sevilla.

* * *

Mujer	S mayúscula, e, v, i, ll, a.
Guía	Es el miércoles por la noche. Julio ya está en *20* Barcelona. Acaba de llegar al hotel.

QUINTA ESCENA: Barcelona – en el hotel

Julio	Buenas.
Portero	Dígame.
Julio	Una habitación. La tengo reservada.
Portero	¿Sí?
Julio	Sí, a nombre de Julio Gómez. Julio Gómez Huidobro.
Portero	No sé, no la veo. ¿Dice que la reservó?
Julio	Sí, desde París. Una habitación para tres noches. El avión llegó con retraso. A causa del mal tiempo. Pero la habitación tiene que estar *10* reservada. Envié un télex para confirmar la reserva.
Portero	Pues aquí no está. No la veo. ¿Cómo dijo que se llamaba?
Julio	Julio Gómez Huidobro.
Portero	A ese nombre no hay reserva.
Julio	No es posible.
Portero	¿La quiere doble o individual?
Julio	Individual.
Portero	¿Con baño? *20*
Julio	Baño o ducha, no importa.
Portero	Son cinco mil pesetas.
Julio	¿Cómo?

Portero	Cinco mil pesetas por una noche.
Julio	Pero ya le he dicho que la reservé.
Portero	Lo siento, señor. Después de medianoche el pago es por adelantado.
Julio	¿No hay una recepcionista? ¿Está el gerente?
Portero	Hasta por la mañana sólo estoy yo. Y repito son cinco mil pesetas.
Julio	Tenga, tenga. Vaya hotel.
Portero	Habitación 414. Cuarto piso. Allí tiene el ascensor.

30

PRACTICA 5: Al llegar al hotel

Guía	Julio ya tiene habitación. La consiguió con dificultad. Vamos a practicar las expresiones que se emplean para conseguir habitación en un hotel.
Mujer	El señor pregunta si hay habitación.

* * *

Hombre	¿Tiene una habitación libre?
Mujer	El señor quiere quedarse tres noches.

* * *

Hombre	¿Tiene una habitación para tres noches?
Mujer	Quiere una habitación para él solo.

* * *

Hombre	Una habitación individual.
Mujer	La quiere con baño.

10

* * *

Hombre	Una habitación individual con baño.

Mujer	O diciéndolo todo junto.

* * *

Hombre	Quiero una habitación individual con baño para tres noches.
Mujer	Quiere saber el precio.

* * *

Hombre	¿Cuánto cuesta?
Mujer	Son seis mil pesetas. Quiere saber lo que incluye el precio.

* * *

Hombre	¿Está incluido el desayuno?
Mujer	Quiere saber si es una habitación tranquila.

20

* * *

Hombre	¿Da a la calle?
Mujer	Y dónde está.

* * *

Hombre	¿En qué piso está?
Mujer	Quiere que le despierten por la mañana.

* * *

Hombre	¿Puede llamarme por la mañana?
Mujer	Quiere levantarse a las siete.

* * *

Hombre	¿Puede llamarme a las siete?
Mujer	Y se va a su cuarto.

* * *

Hombre	Muchas gracias. Y buenas noches.
Mujer	Buenas noches. Que descanse.
Guía	Desde luego le han atendido mejor que a Julio.

30

SEXTA ESCENA: Barcelona – en el Palacio de Congresos

Mujer	Buenas tardes.
Julio	Hola, buenas.
Mujer	¿Usted es … ?
Julio	Julio Gómez, de PAESA.
Mujer	Ah, sí. Aquí tiene, tarjeta de identificación y carpeta de documentos. Le espera un señor.
Julio	¿Sí?
Mujer	Sí, mire, aquel señor de azul que está al lado de la ventana.
Julio	Gracias.

10

Fermín	Ah … ¿Julio Gómez? Fermín. Fermín Díaz.
Julio	Encantado. Luisa ya me habló de ti.
Fermín	Sí, me mandó un télex. ¿Qué tal el viaje?
Julio	Bien, con un poco de retraso.
Fermín	Eso es normal en los viajes por avión.
Julio	Y luego en el hotel no me recibieron muy bien.
Fermín	Pero, ¿descansaste?
Julio	Sí, yo siempre duermo bien.
Fermín	¿Cómo marchan las cosas por París?
Julio	De momento sin trabajo.

20

Fermín	Y Luisa, ¿sigue tan guapa como siempre?
Julio	Guapa y trabajadora. Lo tiene todo.
Fermín	¡Qué suerte tienes!
Julio	Y esta exposición ¿qué?
Fermín	Está bien, pero nada de nuevo.
Julio	¿Cómo? En la publicidad se hablaba de nuevos sistemas de control integrados.
Fermín	Sí, pero es lo de siempre.

Julio	Entonces, ¿a qué hemos venido?
Fermín	Se está mejor aquí que en la oficina. *30*
Julio	Es perder el tiempo.
Fermín	Sí, pero nos van a invitar a merendar. ¿Qué más quieres?
Julio	Oye, ¿conoces a ese señor?
Fermín	¿Cuál?
Julio	Ese, el del traje marrón.
Fermín	La cara me es conocida.
Julio	Lo conocí en el avión de Madrid a París.
Fermín	Sí, ya caigo. Es el señor Escudero. Trabaja para una empresa rival. *40*
Julio	Trató de engañarme y conseguir información sobre lo de París.
Fermín	No me digas.
Julio	Como lo oyes. Además voy a decírselo. Perdone, señor Escudero. ¿Me permite un momento?
Guía	¿Qué irá a decirle Julio al señor Escudero? Pronto lo sabremos.

Cinta número 3　Cara 1

Se busca técnico diseñador

PRIMERA ESCENA: Barcelona – en el Palacio de Congresos

Julio	Perdone, señor Escudero. ¿Me permite un momento? Quisiera hablar con usted.
Escudero	Ah … usted dirá.
Julio	¿Se acuerda de mí?
Escudero	Claro que me acuerdo. París. El vuelo de Madrid a París.
Julio	¿Cómo no me dijo que trabajaba para una empresa que nos hace la competencia?
Escudero	No me pareció oportuno.
Julio	Pero trató de sacarme información, haciéndose pasar por un cliente.
Escudero	Yo no le engañé. Le hice unas preguntas a las que usted contestó. El mundo de los negocios es así.
Julio	Usted es un cínico. Y merece que le rompa la cara.
Fermín	Tranquilízate, Julio, tranquilízate.
Julio	A su empresa vamos a hundirla. Y usted va a quedarse en la calle.
Escudero	Eso … habrá que verlo.
Fermín	Déjalo, Julio. No merece la pena. Vamos a tomar algo.
Julio	Usted ándese con cuidado, porque si no …
Fermín	Vamos, Julio, vamos a tomar algo.
Escudero	No sé a qué viene todo esto. Nos tropezamos, hablamos de negocios y ahora reacciona usted así. ¿A qué viene esto? …
Julio	… ¿Cómo? ¿No hay un bar aquí, en el Palacio de Congresos?

10

20

Fermín	Al parecer está cerrado.	*30*
Julio	Están sirviendo café, pero a mi se me antoja otra cosa.	
Fermín	Vamos a salir de aquí. Vamos a buscar una cafetería.	
Julio	Sí, aquí sólo perdemos el tiempo.	
Fermín	Ya te dije que no había nada de nuevo.	
Julio	Una pérdida total de tiempo.	
Fermín	¡Qué cara puso Escudero! Creí que ibas a darle.	
Julio	A punto estuve …	*40*
Fermín	¿Quieres comer algo?	
Julio	No, voy a tomar una cerveza.	
Fermín	Oiga, dos cañas.	
Julio	A tu salud.	
Fermín	Ya es tarde para volver a la oficina. Vamos a divertirnos un poco. Voy a llevarte a un lugar que va a gustarte.	

PRACTICA 1: Tomando algo en un bar

Guía	Parece que Julio y Fermín van a pasarlo bien. Están tomando unas cervezas y luego van a ir a divertirse. Vamos a ver cómo se pide algo en un bar.
Hombre	Buenas tardes.

* * *

Camarero	Muy buenas. ¿Qué van a tomar?

* * *

Hombre	¿Tú, qué quieres?

* * *

Mujer	Yo, un vino.
Camarero	¿Tinto o blanco?

* * *

Mujer	Blanco.	*10*
Camarero	¿Seco o dulce?	

* * *

Mujer	Un blanco seco.
Camarero	¿Y usted?

* * *

Hombre	Tónica con ginebra.
Camarero	Un blanco y una tónica con ginebra. ¿Quieren algún pincho?
Hombre	Yo, no. ¿Y tú?

* * *

Mujer	Sí, un pincho de tortilla.	
Hombre	¿Cigarrillos tiene?	
Camarero	Allí, en la máquina.	*20*
Hombre	Necesito monedas. ¿Me cambia?	
Camarero	Aquí tiene.	

* * *

Hombre	Gracias. ¿Cuánto es?
Camarero	Trescientas veinte pesetas.
Hombre	Tenga.

* * *

Camarero	Muchas gracias.
Guía	Esperemos que Julio no haya bebido mucho anoche porque hoy le espera un día de mucho trabajo.

SEGUNDA ESCENA: Barcelona – en las oficinas de DATASA

Fermín	Buenos días, Julio.
Julio	Buenos días.
Fermín	¿Cómo te encuentras?
Julio	Con un poco de resaca. ¿Y tú?
Fermín	No muy bien, la verdad.
Julio	Bueno, ¿dónde están los demás?
Fermín	En la sala de reuniones. La habitación de al lado.
Julio	Me vendría bien un café.
Fermín	Sí, hombre.
Julio	¿Y tienes una aspirina?
Fermín	Sí, creo que sí. Déjame ver. Ah, sí, aquí están.
Julio	Tengo un dolor de cabeza …
Tuñón	¿Señor Gómez?
Julio	Sí …
Tuñón	Le estamos esperando.
Julio	Ya voy, ya voy.
Fermín	Ese es el señor Tuñón.
Tuñón	Pase, pase.
Fermín	Muy buenos días. Les presento a Julio Gómez que forma parte del equipo que está poniendo en marcha un nuevo proyecto en París. Pero será mejor que él les explique de qué se trata.
Julio	Bueno, como les ha dicho Fermín, yo voy a explicarles lo que estamos tratando de hacer en París. Supongo que ya tienen una idea de lo que es.
Tuñón	Pues no, no sabemos nada. Sólo sabemos que se han llevado a Luisa.

10

20

Julio	Bueno, se lo explicaré. Se trata de establecer un centro de información en París. Ya hemos *30* establecido la base bajo la dirección de Luisa Ortega, a quien ustedes ya conocen. Un pequeño equipo del que yo formo parte. Nuestra misión es centralizar y coordinar información. Ya estamos estableciendo un procedimiento para ello. Seremos una especie de asesoría para todas las empresas del holding. O sea que lo que nosotros haremos será centralizar la experiencia y las investigaciones de PAESA, de DATASA, de TSI, de los *40* italianos … de todas las empresas del holding. Una vez recogida y ordenada esta información podemos contactar con posibles clientes. Lo que nos interesa sobre todo son los nuevos avances tecnológicos. Es decir, que si algún municipio quiere autobuses de segunda mano, eso no es lo nuestro. De lo que se trata es de coordinar y desarrollar nuevas tecnologías en la esfera del transporte urbano. De ahí lo del comité de enlace. Los jefes de diseños de todas *50* las empresas podrían reunirse una vez al mes para intercambiar ideas …
Tuñón	Un momento, un momento.
Julio	… y mantenerse al día.
Tuñón	Un momento.
Julio	Usted dirá.
Tuñón	¿Dice que los jefes de diseños tienen que reunirse todos los meses?
Julio	Eso es lo acordado. ¿No lo sabía?
Tuñón	No, ni idea. ¿Y dónde? *60*
Julio	Perdón.
Tuñón	¿Dó … dónde van a ser esas reuniones?

Julio	Habrá que acordarlo. Eh ... se puede variar. Un mes en Madrid, otro en París, otro en Barcelona ...
Tuñón	Lo veo difícil. El jefe de diseños fuera dos o tres días todos los meses.
Julio	Pero, comprenda que éste es un proyecto de suma importancia.
Tuñón	Sí, sí, pero no va a ser posible.
Julio	A mí me habían dicho ...
Tuñón	Mire, lo que puedo hacer es enviar un técnico diseñador a las reuniones mensuales, pero el jefe no. O sólo de vez en cuando. Lo necesitamos aquí.
Julio	La verdad yo esperaba que ustedes se mostrasen más cooperativos.
Tuñón	Lo siento pero no puede ser.

70

PRACTICA 2: Cómo exponer un caso

Guía	La verdad es que a Julio no le están saliendo las cosas bien en Barcelona. Aunque les expuso la situación muy bien. Vamos a hacer algo parecido.
Hombre	Usted tiene que explicar la situación.

* * *

Mujer	Bueno, la situación es la siguiente.
Hombre	Diga de qué se trata.

* * *

Mujer	Se trata de establecer un centro de información.
Hombre	Diga que es en París.

10

* * *

Mujer	Se trata de establecer un centro de información en París.
Hombre	Para centralizar y coordinar.

* * *

Mujer	Nuestra misión es centralizar y coordinar los avances tecnológicos.
Hombre	Mencione la reunión.

* * *

Mujer	Habrá que celebrar reuniones.
Hombre	Reunión mensual.

* * *

Mujer	Habrá que celebrar una reunión todos los meses.
Hombre	Diga quién tiene que asistir.

20

* * *

Mujer	Tendrán que asistir los jefes de diseños de las distintas empresas.
Hombre	Los detalles quedan para más adelante.

* * *

Mujer	Ultimaremos detalles más adelante.
Hombre	En la reunión de París.

* * *

Mujer	Ultimaremos detalles en la reunión de París.
Guía	Esto ha sido un poquillo más difícil ¿verdad? Volvamos a París con Julio.

TERCERA ESCENA: En las oficinas de París

Ana María	Ah, don Julio.
Julio	¿Qué hay?
Ana María	Llegó un télex para usted.

Julio	¿Sí? ¿Y qué dice?
Ana María	Un momento. No sé dónde lo he puesto. Ahí está, debajo de esa carpeta.
Julio	¿Quién lo envía?
Ana María	Ruiz. Marisa Ruiz.
Julio	¿Marisa? ¡Válgame el cielo! ¿Qué es lo que quiere?
Ana María	Dice, eh ... "Me voy a París a reunirme contigo. Necesitas secretaria y no la vas a encontrar mejor que yo. Juntos de nuevo en París." Eso es todo.
Julio	Ya es bastante. ¿Cuándo llegó?
Ana María	El viernes.
Julio	¿El viernes?
Ana María	Sí, pero como usted estaba fuera ...
Julio	¿Sabes usar el télex?
Ana María	No muy bien.
Julio	Tengo que enviar un télex inmediatamente a las oficinas de PATESA en Madrid.
Ana María	¿Sabe el número?
Julio	No. Ahí está la guía, a tu izquierda.
Ana María	Ah, sí.
Julio	Vamos a ver. Dirigido a Marisa Ruiz. Personal y muy urgente.
Ana María	... muy urgente. ¿Qué más?
Julio	Ponle ... "No vengas a París" Eh ... "No hay nada ..." No, no, vamos a cambiarlo. Empieza de nuevo.
Ana María	A Marisa Ruiz. Punto. Con carácter personal y muy urgente.
Julio	Sí. Y ahora dile: "Me temo que ..."

Marginal line numbers: 10, 20, 30

87

Ana María	"Me temo que …"
Julio	"… ya hemos nombrado secretaria. No hay trabajo para ti en París." Y además es cierto.
Ana María	¿Cómo?
Julio	No, lo último no. 40 Bien. Añádele: "Quédate en Madrid. No vengas a París hasta que yo te avise."
Ana María	… hasta que yo te avise."
Julio	"Me temo que ya hemos nombrado secretaria. No hay trabajo para ti en París." Firmado Julio.
Ana María	Julio.
Julio	¿Puedes enviarlo inmediatamente?
Ana María	Para empezar …
Julio	Creo que hay que apretar ese botón a la 50 derecha.
Ana María	¿Cuál? ¿Este?
Julio	No, no, más a la derecha.
Ana María	Ah, sí, ya está.
Julio	Mándalo rápido. A ver si llega a tiempo.

PRACTICA 3: A la derecha, a la izquierda

Guía	¿Llegará a tiempo el télex de Julio? Julio parece estar bastante preocupado. Aunque yo creo que sería interesante conocer a Marisa. Bueno, vamos a hacer un ejercicio sencillo para indicar la posición de algunas cosas.
Hombre	¿Este coche es inglés?

Mujer	Sí, ¿no ve dónde tiene el volante?

* * *

Hombre	Sí, a la derecha.	
Mujer	Y éste es español. Con el volante al otro lado.	*10*

* * *

Hombre	Sí, a la izquierda.
Mujer	¿Por dónde se conduce en Inglaterra?

* * *

Hombre	Por la izquierda.
Mujer	Por eso el conductor se sienta …

* * *

Hombre	… a la derecha.
Mujer	¿Por dónde se conduce en España?

* * *

Hombre	Por la derecha.
Mujer	Por eso el conductor se sienta …

* * *

Hombre	… a la izquierda.	
Mujer	Y para cambiar velocidades ¿qué mano se emplea?	*20*
Hombre	¿Dónde?	
Mujer	En Inglaterra.	

* * *

Hombre	La mano izquierda.
Mujer	¿Y en España?

* * *

Hombre	La mano derecha.
Guía	Esta claro ¿no? Pero volvamos a las preocupaciones de Julio.

CUARTA ESCENA: En las oficinas de París

Julio   Seguro que llega tarde. En cualquier momento Marisa se presenta aquí diciendo: "Hola, cariño. ¿No te alegras de verme?"

Luisa   ¿Hablas solo?

Julio   No, no … estaba … perdón, no te vi.

Luisa   Parece que vamos a tener dos secretarias.

Julio   ¿Cómo?

Luisa   Bueno, la que entrevistaste la semana pasada y tu querida Marisa, la que tenías en Madrid.

Julio   ¿Ya llegó?   10

Luisa   No, pero vi el aviso.

Julio   Acabo de enviarle un télex.

Luisa   ¿Invitándola a venir?

Julio   ¡Qué va! Diciéndole que se quede en Madrid. Que ya tenemos secretaria. Espero que llegue a tiempo.

Luisa   No es aconsejable mezclar las relaciones personales con el trabajo.

Julio   Y que lo digas.

Luisa   Yo no lo haría.   20

Julio   Dejemos eso. Echale una mirada a este anuncio.

Luisa   ¿Qué es?

Julio   Un anuncio. Lo vi en el periódico viniendo de Barcelona.

Luisa   A ver. "Se requiere para nuestra sucursal en Caracas (Venezuela) ingeniero técnico con amplia experiencia en el diseño de sistemas de transporte urbano." ¿Para qué compañía es?

Julio   Creo que para RTS. Lee, lee el resto.

Luisa	"Nuestra compañía es de las más avanzadas en la esfera de los transportes urbanos y tiene su sede en Houston, Texas." Claro, es la RTS. "Excelente remuneración y condiciones de trabajo. Alojamiento gratuito en apartamento de la empresa."	*30*
Julio	No está mal, ¿verdad?	
Luisa	¿Te interesa?	
Julio	La verdad es que aquí hay tan poco trabajo.	
Luisa	Ya lo habrá, Julio, ya lo habrá.	
Julio	Sí, pero ¿cuándo?	*40*
Luisa	Dentro de poco, ya verás.	
Julio	No sé qué hacer.	
Luisa	¿Te gustaría vivir en Caracas?	
Julio	Sería interesante. Dos a tres años. ¿Qué me aconsejas?	
Luisa	Es cosa tuya, Julio.	
Julio	Si solicito el puesto y te piden informes …	
Luisa	Puedes estar seguro de que te apoyaré.	

PRACTICA 4: Cómo describir un empleo

Guía	Estaban hablando de un empleo en Caracas que le interesa a Julio. Vamos a oír algunas de las expresiones que se emplean para anunciar una vacante en una empresa.
Mujer 1	Bueno, ya sé lo que necesitamos.
Hombre	Dime, dime.
Mujer 1	Un técnico en electrónica para empresa basada en Valencia.
Hombre	¿De qué edad?

Mujer 1	La edad no importa. Pero con bastante experiencia.	*10*
Hombre	¿Y qué le ofrecemos?	
Mujer 1	Tres millones de remuneración al año. Buenas condiciones de trabajo y un mes de vacaciones.	
Hombre	Bueno, vale. Voy a llamar al periódico.	
Mujer 2	Dígame.	
Hombre	Mire, quiero poner un anuncio en la sección de empleos.	
Mujer 2	¿Qué tipo de empleo?	*20*

* * *

Hombre	Técnico en electrónica. Una persona con conocimientos avanzados de electrónica.
Mujer 2	¿Con qué?

* * *

Hombre	Con conocimientos avanzados de electrónica.
Mujer 2	Especialista en electrónica. Vale. Para trabajar ¿dónde?

* * *

Hombre	Con base en Valencia.
Mujer 2	¿La empresa está en Valencia?

* * *

Hombre	Sí, empresa basada en Valencia. Pero tiene que estar dispuesto a viajar.	*30*
Mujer 2	¿Y el sueldo?	

* * *

Hombre	Un sueldo mínimo de tres millones de pesetas.
Mujer 2	¿Algo más?

* * *

Hombre	Buenas condiciones de trabajo.
Mujer 2	¿Y vacaciones?

* * *

Hombre	Un mes al año.
Guía	Especialista en electrónica, sueldo, condiciones de trabajo, vacaciones ... Y ahora vamos a averiguar las razones por las que *40* Julio quiere cambiar de empleo.

QUINTA ESCENA: En las oficinas de París

Luisa	¿No te sientes a gusto aquí en París?
Julio	Si te voy a decir la verdad, no.
Luisa	¿Y qué tal te fue por Barcelona?
Julio	De Barcelona, no me hables.
Luisa	¿Por qué? ¿Qué pasó?
Julio	Todo salió mal.
Luisa	¿Sí?
Julio	El hotel era malísimo. Y la presentación del nuevo sistema de I.M.C. una pérdida de tiempo? *10*
Luisa	No me digas.
Julio	Como lo oyes. Y para colmo no conseguimos llegar a un acuerdo en lo del comité de enlace.
Luisa	¿Cómo?
Julio	Que no están dispuestos a enviar al jefe de diseños. Quieren enviar a algún técnico pero no al jefe.

Luisa	Pero, ¿por qué?
Julio	Porque dicen que el jefe de la oficina de diseños no puede pasar dos a tres días fuera todos los meses. *20*
Luisa	¿Quién dijo tal cosa?
Julio	Un tal Tuñón. Un tío alto, con gafas. ¿Lo conoces?
Luisa	No lo voy a conocer. Paco Tuñón. Es un tío difícil.
Julio	¡Y que lo digas!
Luisa	Yo me encargo de resolverlo. Y ahora mismo.
Julio	¿Qué vas a hacer?
Luisa	Voy a llamar por teléfono a Barcelona. *30*
Julio	¿Te importa que me quede y escuche?
Luisa	Como gustes. Oiga, me pone con el señor Lorca, por favor. Luisa Ortega, de París. Ricardo, soy Luisa. Bien, gracias, ¿y tú? París, bien, pero el trabajo mal. No cooperáis desde Barcelona. Es Paco. Paco Tuñón. Dice que el jefe de diseños no puede asistir a las reuniones *40* mensuales. Bueno, nuestro técnico diseñador, Julio Gómez, estuvo ahí hace unos días y Tuñón le dijo que no. Eso es lo que dije yo. De acuerdo. Entonces hablaré yo con Tuñón. Vale. Adiós. Oiga. Me pone con el señor Tuñón, por favor. Oiga. ¿Paco? Soy Luisa Ortega. Te llamo desde *50* París. Mira, Paco, ¿cómo se llama el jefe de diseños? Bien, asegúrate de que tiene pasaporte y billete

de avión para venir a París el día 3. Ya hablé
con Lorca. La primera reunión del comité de
enlace es el cuatro. Y lo necesitamos. No, Paco.
Tiene que ser él. ¿De acuerdo? Adiós, Paco.

Julio   Chica, te felicito.

Luisa   ¿Qué te pareció?

Julio   ¡Qué cara habrá puesto!   *60*

Luisa   Con Ricardo Lorca de mi lado tenía que ceder.

Julio   ¿Quién es ese Lorca?

Luisa   El director gerente. O sea, ¿qué te quieres ir de
París?

Julio   Pues no lo sé.

Luisa   No vayas a pensar que yo estoy muy contenta
aquí.

Julio   ¿No?

Luisa   Es difícil hacer amigos.

Julio   Se me ocurre una idea. ¿Qué vas a hacer esta   *70*
noche? Te invito a cenar.

Luisa   ¿Eh?

Julio   Y después vamos al teatro o a una revista.

Luisa   La idea me atrae, pero … me temo que … esta
noche no puedo.

Julio   ¡Qué pena!

Luisa   Lo siento, Julio.

Julio   No importa. Otra vez será.

PRACTICA 5: Hablando de un viaje

Guía   Luisa ya había dicho que no era aconsejable
mezclar las relaciones personales con el
trabajo. Bueno, Julio estuvo hablando de su
viaje a Barcelona. Vamos a oír hablar de un
viaje parecido.

| **Hombre** | Háblame del viaje de la semana pasada. |
| **Mujer** | Fuimos a Londres. |

* * *

Era la primera vez que íbamos.

* * *

Paramos en un hotel pequeño.

* * *

| **Hombre** | ¿Cómo era el hotel? | *10* |
| **Mujer** | Bastante cómodo. | |

* * *

El desayuno era buenísimo.

* * *

| **Hombre** | ¿Fue un viaje de negocios? |
| **Mujer** | Fuimos a las oficinas de la compañía en Londres. |

* * *

Para conocer a los colegas …

* * *

… y para hablarles del nuevo proyecto.

* * *

Pasamos dos días trabajando con ellos.

* * *

Vamos a reunirnos de nuevo en junio.

* * *

| **Hombre** | ¿Salisteis algo? | *20* |
| **Mujer** | Fuimos al teatro un par de veces. | |

* * *

Visitamos los lugares de interés turístico.

* * *

Hombre	¿Os gustaron?
Mujer	Sí, muy interesantes.

* * *

Regresamos a casa el sábado.

* * *

Fue un viaje muy útil.

* * *

Y lo pasamos muy bien.

* * *

Guía	Bueno, volvamos a las oficinas de París donde están Luisa y Julio.

SEXTA ESCENA: En las oficinas de París

Julio	¿Se puede?
Luisa	Pasa, Julio, pasa. ¿Qué te trae a mi despacho?
Julio	Nada. Ganas de charlar. No tengo nada que hacer.
Luisa	Hay café hecho. Toma un café.
Julio	No, ya tomé dos o tres.
Luisa	¿Qué? ¿Ya has solicitado el trabajo de Caracas?
Julio	No sé qué hacer.
Luisa	Ya sabes que conmigo puedes contar. Si me piden informes …
Julio	Luisa, estaba pensando en lo de esta noche …
Luisa	¿Y qué?
Julio	Que es una pena que no podamos salir juntos.

10

97

Luisa	¡Qué se va a hacer!	
Julio	Por lo menos podríamos ir a tomar algo al salir del trabajo.	*20*
Luisa	No sé si voy a tener tiempo.	
Ana María	¿Se puede? Ay, perdón. Creí que estaba sola.	
Luisa	No importa. Pasa, Ana María. ¿Qué quieres?	
Ana María	Le ha llamado M. Leconte por teléfono.	
Luisa	¿Cuándo?	
Ana María	Estaba usted fuera. Pero le llamó tres veces.	
Luisa	¿Dejó algún recado?	*30*
Ana María	Sí, dijo que pasaría por su apartamento a recogerla a las siete.	
Luisa	Vale, gracias.	
Ana María	Dijo que la iba a llevar a un restaurante mejor que el de la semana pasada.	
Luisa	¿Algo más?	
Ana María	Sí, que …	
Luisa	¿Que, qué?	
Ana María	… que se ponga usted el mismo vestido que el sábado pasado.	*40*
Luisa	El teléfono …	
Ana María	Seguro que es él otra vez.	
Luisa	Déjalo que yo contesto.	
Ana María	Me parece que la señorita Ortega y M. Leconte …	
Julio	¿Qué?	
Ana María	Que se llevan muy bien.	
Julio	Sí, sí, ya veo.	

Ana María	Salieron juntos el viernes. Y el sábado.	
Julio	Ya veo, ya veo.	*50*
Ana María	Y hoy la llamó tres veces. Supongo que se siente un poco sola aquí en París. ¿Está usted casado?	
Julio	¿Yo? No.	
Luisa	El télex llegó demasiado tarde.	
Julio	¿Qué télex? ¿El que mandé a Madrid?	
Luisa	Sí. No lo recibió.	
Julio	¿Qué Marisa está …?	
Luisa	Sí. Esa era Marisa. Está en camino.	
Julio	¿Dónde me meto?	*60*
Guía	Parece que por fin vamos a conocer a Marisa.	

Cinta número 3   Cara 2
Y ahora a Roma

PRIMERA ESCENA: París – en un café

Julio	Un Ricard, s'il vous plaît. Merci.
Luisa	Ah, aquí estás.
Julio	Toma algo.
Luisa	¿Qué haces metido en este rincón?
Julio	Me gustan los lugares tranquilos.
Luisa	No, te estás escondiendo.
Julio	¿Dónde está?
Luisa	Un citron pressé, s'il vous plaît.
Julio	¿Dónde está Marisa?
Luisa	Tranquilo.
Julio	¿Cómo voy a estar tranquilo? ¿Dónde está esa puñetera mujer?
Luisa	Pobre Marisa. No es justo. Si te lías con la secretaria tienes que aceptar las consecuencias.
Julio	Te equivocas, de liarse nada.
Luisa	Si le gustas, ¿qué va a hacer la chica? Ah, merci ¡Qué bueno está este zumo! Me gusta con locura.
Julio	¿Dónde está?
Luisa	En Madrid.
Julio	¿En Madrid, dices?
Luisa	Sí. Llamó desde el aeropuerto para decir que estaba en camino. Yo le dije que suspendiese el viaje.
Julio	¿Cómo la convenciste?
Luisa	Le dije que te ibas de París.
Julio	¿Qué me iba? ¿A dónde?

10

20

Luisa	A Caracas. Que no merecía la pena que viniese.
Julio	Luisa, erés genial.
Luisa	No tanto, no tanto. Es la verdad ¿no? *30*
Julio	¿Y ella qué te dijo?
Luisa	Que se quedaba en Madrid.
Julio	No sabes lo que te lo agradezco.
Luisa	Bueno, tranquilizate.
Julio	Estupendo. Eres genial. Ahora me gustas más que nunca.
Luisa	No te pases, Julio.
Julio	Voy a tomarme otro Ricard. ¿Y tú? ¿Otro zumo?
Luisa	No, tengo que irme. *40*
Julio	Claro, te estará esperando el francés. ¿Cómo se llama?
Luisa	Antoine.
Julio	No me gusta ni el nombre.
Luisa	No digas tonterías. Me voy.
Julio	Que lo pases bien.
Luisa	Hasta mañana.
Julio	Garçon, encore un Ricard, s'il vous plaît.

PRACTICA 1: Me gusta mucho

Guía	Julio y Luisa han hablado de varias cosas que les gustan. El verbo gustar tiene ciertas peculiaridades en español. Vamos a practicarlo.
Hombre	Sabes que no me gusta este traje. ¿Y a ti?

* * *

Mujer	No me gusta tampoco.

* * *

Hombre	¿Te gusta aquél?
Mujer	¿Cuál?
Hombre	Aquel gris.

* * *

Mujer	No me gusta. Es un poco oscuro.	*10*

* * *

Hombre	Pues a mí me gusta.

* * *

Mujer	A mí no. No me gustan los colores oscuros.
Hombre	Si no te gusta a ti, no lo compro.
Mujer	Vamos a otra tienda.
Hombre	Aquí tienen más variedad.
Mujer	¿Qué te parece éste?

* * *

Hombre	Me gusta y no me gusta.

* * *

Mujer	¿Cómo?
Hombre	Me gusta el color. Pero el estilo no me gusta.

* * *

Mujer	Mira, aquí hay uno que te va a gustar.	*20*
Hombre	¿Me lo pruebo?
Mujer	Sí, pruébatelo.
Hombre	¿Qué te parece? A mí me gusta.

* * *

Mujer	Me entusiasma.
Guía	Vaya, por fin encontraron algo de su gusto. Luisa está de nuevo en la oficina. Veamos lo que ocurre.

SEGUNDA ESCENA: En las oficinas de París

Linda	Hola.
Luisa	Hola. Eres Linda Bloomfield, la nueva secretaria, supongo.
Linda	Sí.
Luisa	¿Vives lejos?
Linda	No, no muy lejos.
Luisa	¿En qué has venido?
Linda	En autobús. Quince minutos desde mi casa.
Luisa	Bah, no está mal. Supongo que no conoces a nadie todavía.
Linda	Al señor Gómez que fue el que me entrevistó.
Luisa	Sí, Julio. Estará camino de Roma ahora.
Linda	¿Sí?
Luisa	Fue a una reunión. Está tratando de establecer un comité de enlace entre varias compañías del holding.
Linda	¿Con qué compañía tienen contactos en Italia?
Luisa	FITA. Se especializan en ferrocarriles de tracción eléctrica.
Linda	No he oído hablar de ella. Pero, ¿contactos internacionales tienen muchos?
Luisa	Pues sí. En España, aquí en Francia, en Italia … en Alemania también. ¿Hablas alemán?
Linda	Un poco. Muy poco.
Luisa	Francés sí, claro está.
Linda	Sí, francés sí.
Luisa	Porque, claro, para organizar estas reuniones hay que ponerse en contacto con gentes de diversos países. Escribirles, hacer las reservas

10

20

	de hotel, enviar los documentos necesarios ... *30*
	cosas de ese tipo.
Linda	Como todo tendrá su rutina.
Luisa	Sí, enseguida te acostumbras. Pero lo primero es presentarte a la gente. Mira, ésa es Ana María.
Linda	Encantada.
Luisa	También es nueva. Empezó la semana pasada. A Julio ya le conoces. Jaime Tusell es el jefe de finanzas y Pablo Ríos es el encargado del marketing. Y la semana que viene el equipo *40* aumentará con un contable y un experto en ordenadores.
Linda	Poco a poco los iré conociendo a todos.
Luisa	Sí, porque las oficinas son pequeñas. ¿Quieres que te las muestre?
Linda	No, ya he dado una vuelta.
Luisa	Bueno, pues ésta va a ser tu mesa.
Linda	¿Aquí, en el vestíbulo?
Luisa	Sí, para recibir a la gente. La máquina de hacer el café ... allí el servicio ... el papel de escribir, *50* los sobres y esas cosas en este armario ...
Linda	Ya veo, ya.
Luisa	Si necesitas algo, Ana María te enseñará dónde está.
Linda	Y ... usted ... ¿quién es?
Luisa	Ay, perdón. Me llamo Luisa Ortega.
Linda	Ah, usted es la directora.
Luisa	Así es. Bueno, voy a dejarte para que te familiarices con la oficina. Y dentro de una hora, hora y media, empezamos a trabajar. *60*
Linda	Vale. Gracias.
Luisa	Hasta más tarde.

PRACTICA 2: Familiarizándose con la oficina

Guía	Luisa le ha estado enseñando la oficina a la nueva secretaria. Oigamos de nuevo algunas de las expresiones que se emplean en tal situación.
Mujer	¿Es ésta mi oficina?
Hombre	No.

* * *

	Su oficina es ésta.
Mujer	¿Cuál es mi mesa?

* * *

Hombre	Su mesa es ésta.
Mujer	Bien. ¿Y dónde se guarda el papel de escribir? *10*

* * *

Hombre	El papel de escribir, los sobres y cosas de esas, ahí.
Mujer	¿Dónde?

* * *

Hombre	Ahí, en ese armario.
Mujer	Y yo, ¿qué tengo que hacer?

* * *

Hombre	El trabajo normal de una secretaria.

* * *

Abrir las cartas.

* * *

Clasificar la correspondencia.

* * *

Escribir a máquina.

* * *

	Archivar documentos.	*20*

Mujer	Esta factura, por ejemplo, ¿qué hago con ella?
Hombre	La pasa a finanzas.
Mujer	¿Al jefe de finanzas?
Hombre	No, al jefe no. Eso es para el contable.
Mujer	Y el contable, ¿dónde está?
Hombre	En la oficina de al lado.
Mujer	No sé si me voy a acordar de tantas cosas.

* * *

Hombre	Ya verá, enseguida se acostumbra.
Mujer	Creo que tardaré mucho.	*30*
Hombre	No, dentro de unos días …

* * *

Conocerá a todo el mundo.

* * *

Sabrá dónde está cada uno.

* * *

Y lo que tiene que hacer.

Mujer	Esperemos que sí.
Guía	Luisa dijo que Julio se había ido a Roma. ¿Cómo le irán las cosas? ¿Tendrá más suerte que en Barcelona?

TERCERA ESCENA: Roma – en el despacho del Signor Rossi

Rossi	Por fin consiguió llegar.
Julio	Pasé un rato buscando a su secretaria en el aeropuerto, pero no la encontré. Y tuve que tomar un taxi. Supongo que aún me estará esperando.
Rossi	Pobre Giulia.

Julio	Me imagino que cuando se canse de esperar llamará aquí por teléfono.
Rossi	Sí, sí. En el aeropuerto de Roma se pierde cualquiera. Hay mucha gente y poco sitio. No *10* se encuentra a nadie.
Julio	La esperé donde me habían dicho. A la entrada de la cafetería, pero no apareció.
Rossi	Además hay dos o tres cafeterías y como no se conocen … La culpa es mía. Lo siento.
Julio	No tiene importancia. ¿Podríamos hacer algo para avisarla? Es que me preocupa que aún me esté esperando.
Rossi	¿Giulia? No. Ya volverá. Llamará por teléfono. Hizo bien tomando un taxi. Siempre se pierde *20* uno en el aeropuerto de Roma.
Julio	Para la próxima ya lo sé. Ah, ¿usted cree que, esta tarde, en la reunión, puedo hablarles en español?
Rossi	Desde luego. Casi todos los que van a estar hablan español bien. Hombre, tendrá que hablar despacio y con claridad.
Julio	Bueno. La reunión es a las dos ¿no?
Rossi	Sí. ¿Cuánto tiempo va a necesitar?
Julio	Hmm … No sé. Más o menos una hora. *30* Y después me gustaría, si no le importa, ver lo que ustedes hacen.
Rossi	Faltaría más. Ha de interesarle. Yo mismo le enseñaré las instalaciones. ¿Necesita algo para la reunión? ¿Fotocopias, un proyector …?
Julio	No, nada, gracias.
Rossi	¿De qué va a hablarnos exactamente?
Julio	No quiero más que explicarles nuestros proyectos a largo plazo. Lo que estamos haciendo en París. Ponerles al corriente de lo que …

PRACTICA 3: Poniéndose de acuerdo para verse en un lugar

Guía	Cuando uno quiere ir a recibir a alguien en una estación ¿qué expresiones emplea para ponerse de acuerdo con la otra persona? Oigamos algunas de ellas.
Hombre	Sí, el miércoles. El miércoles por la tarde. ¿A qué hora llega el tren? ¿Tres y media? Estación de Chamartín. ¿Hay un lugar dónde podamos vernos? Debajo del reloj. En el centro de la estación. Vale. Tres y media, Chamartín, debajo del reloj … Vale. *10* Adiós.
Mujer	Dígame.
Hombre	Hola. Soy yo Pepe.
Mujer	Hola. Pepe. ¿Cómo estás?
Hombre	Bien. ¿Y tú?
Mujer	¿Qué día llegas?
	* * *
Hombre	El miércoles.
Mujer	¿En qué vienes?
	* * *
Hombre	En tren.
Mujer	¿A qué estación llega? *20*
	* * *
Hombre	Chamartín. Estación de Chamartín.
Mujer	¿A qué hora?
	* * *
Hombre	A las tres y media. Si llega a tiempo.
Mujer	¿Y si llega con retraso?
	* * *

Hombre	Me esperas, si no te importa.
Mujer	Bueno, te espero a la salida.

* * *

Hombre	Oye, que hay varias salidas.
Mujer	¿Quieres que te espere en la cafetería?

* * *

Hombre	Hay varias cafeterías.
Mujer	Entonces, ¿dónde nos vemos?

30

* * *

Hombre	Debajo del reloj de la estación.
Mujer	¿Dónde está?

* * *

Hombre	En el centro mismo de la estación.
Mujer	Vale. Te espero debajo del reloj. A las tres y media. Y si llegas tú antes, me esperas en el mismo sitio.

* * *

Hombre	Bueno. Nos veremos el miércoles a las tres y media.
Mujer	Adiós. Hasta el miércoles.

* * *

Hombre	Adiós.

40

Guía	Y ahora vamos a escuchar a Julio hablando en español a un grupo de técnicos italianos. Vamos a ver si le entienden.

CUARTA ESCENA: Roma – en una sala de reuniones

Julio	Buenas tardes, señores. Me temo que no hablo italiano. Pero se me ha dicho que entienden el español.

Rossi   Si lo habla despacio.

Julio   Despacio y con claridad. Bueno, yo he venido
para hablarles del proyecto de TSI en París. Se
puso en marcha a principios de este mes.
Nuestra misión es recoger ...
... un comité para intercambiar ideas y planes.
Con este fin vamos a celebrar todos los meses   *10*
una reunión. Cada cuatro semanas. La primera
tendrá lugar en París, la segunda en Madrid y
la tercera aquí, en Roma. Estas reuniones
continuarán durante todo el año, cambiando
sólo el lugar ...
... podemos establecer cuatro categorías o
grupos. La primera el material rodante. Es
decir, nuevos tipos de motores, formas de
locomoción, vehículos ... La segunda comprende
el tendido de vías, la construcción de carreteras,   *20*
etc. En la tercera se incluyen los sistemas de
control para señalización, programación ... y,
claro está, el uso de ordenadores, los avances
electrónicos ... Y, por último, una categoría
menos definida pero que comprende los avances
y cambios más recientes en sistemas de
transporte. Porque, señores, los avances en
este terreno ...

Rossi   Estuvo muy bien. ¿Quiere un café?

Julio   Pues no vendría mal.   *30*

Rossi   Ahí tiene, sírvase usted mismo.

Julio   Gracias.

Rossi   ¿Vamos a ver la fábrica ahora?

Julio   Si no le importa.

Rossi   Le mostraré también la sección de diseños. En
realidad tenemos tres fábricas en Italia. Esta es
la mayor.

Rossi   Este es el taller de máquinas. Motores eléctricos
principalmente. Motores pesados. Esa es la línea
de montaje.   *40*

Julio	Y estos motores, ¿para quién son?
Rossi	Para empresas italianas. Estos me parece que son para una de Milán.
Julio	Está bien.
Rossi	¿En qué hotel está usted?
Julio	En uno que está al lado de la estación de ferrocarril.
Rossi	¿Le gustaría salir esta noche a tomar algo?
Julio	Pues, no me parece mal.
Rossi	Ŕoma de noche tiene mucha vida.
Julio	Me lo imagino.
Rossi	Yo conozco bien la ciudad.
Julio	Yo voy a donde usted me lleve.
Rossi	Pues, vamos a la sección de diseños. Por aquí. Sígame.

50

PRACTICA 4: Una invitación para salir

Guía	A Julio le han invitado a salir esta noche. Igual que en Barcelona. Para invitar a una persona a salir para tomar algo se emplean ciertas expresiones. Practiquémoslas un poco.
Hombre	¿Vamos a …?

* * *

¿Quiere …?

* * *

¿Le gustaría …?

* * *

111

Guía	Son formas distintas de formular la misma pregunta.	*10*
Hombre	¿Vamos a tomar algo?	
Mujer	¿Cómo?	

* * *

Hombre	¿Quiere tomar algo?

* * *

Mujer	Lo siento. Ahora no puedo.
Hombre	¿No?

* * *

Mujer	No, no estoy libre. Tengo trabajo.	
Hombre	Es una pena.	
Mujer	Sí, yo también lo siento.	
Hombre	¿Y mañana? ¿Está libre mañana?	
Mujer	¿A qué hora?	*20*
Hombre	Al salir de la oficina.	
Mujer	Sí, a esa hora sí.	

* * *

Hombre	¿Le gustaría salir entonces?

* * *

Mujer	Sí, me encantaría. ¿A dónde?

* * *

Hombre	A tomar algo. A cenar tal vez.
Mujer	De acuerdo. Y ahora vamos a tomar un café.

* * *

Hombre	Buena idea.
Guía	A mí también me gustaría tomar algo. Pero volvamos a las oficinas de París.

QUINTA ESCENA: En las oficinas de París

Linda	Hola, don Julio.
Julio	Eh … hola …
Linda	Linda. ¿No se acuerda?
Julio	Ah, sí, Linda. Me alegro de verte. Ahora ya tenemos secretaria de verdad. ¿Qué tal van las cosas?
Linda	Bien. No hay queja.
Julio	¿Te vas acostumbrando al trabajo?
Linda	Poco a poco.
Julio	Sí, requiere tiempo.
Linda	Dos o tres semanas supongo.
Julio	Pero, problema serio ninguno.
Linda	No, todo va bien.
Julio	Me alegro.
Linda	¿Qué tal su viaje a Roma?
Julio	No estuvo mal.
Linda	¿Lo pasó bien?
Julio	Bastante bien.
Linda	¿Cuándo regresó?
Julio	Hoy por la mañana. ¿Está Luisa?
Linda	Sí.
Julio	¿Está ocupada?
Linda	Me parece que está sola. Puede pasar a verla.
Luisa	Hola, Julio.
Julio	Hola, Luisa.
Luisa	¿Buen viaje?
Julio	No estuvo mal.

10

20

Luisa	¿Qué tal por Roma?
Julio	Lo pasé bastante bien.
Luisa	¿Sin problemas?
Julio	Sin problemas.
Luisa	¿Lo dejaste todo listo para el mes que viene?
Julio	Sí. Todo arreglado. La empresa me causó muy buena impresión. Visité una de las fábricas.
Luisa	Sí, es una de las mejores. ¿Y cómo están las cosas ahora?
Julio	Ya se ha acordado lo del comité de enlace. Seremos cuatro en el comité. Un comité pequeño funciona mucho mejor. La primera reunión va a ser aquí, el día tres. Es un lunes. Llegarán para comer y el comité se reúne por la tarde. En cuanto a los temas a debatir …
Luisa	¿Ya habéis decidido?
Julio	Desde luego. Ya quedamos de acuerdo.
Luisa	Dime lo que vais a hacer.
Julio	Un pronóstico para los diez años próximos. Y un estudio de la viabilidad de un sistema de evaluación centralizado.
Luisa	De impresión. Pasa, Linda, pasa.
Linda	Siento interrumpirles.
Luisa	No importa.
Linda	Es que me pareció que debería de ver esto.
Luisa	¿Qué es?
Linda	Un télex que acaba de llegar.

En el margen derecho, verticalmente: 30 (junto a "¿Sin problemas?"), 40 (junto a "reunión va a ser aquí, el día tres. Es un lunes."), 50 (junto a "Siento interrumpirles.")

PRACTICA 5: Charlando con alguien que regresa de un viaje

Guía	¿Quién habrá enviado el télex? Pronto lo averiguaremos. Pero antes vamos a oír algunas de esas expresiones que se emplean al hablar con amigos que han estado fuera.

Hombre 1	Si uno ha estado de viaje, al volver se le suele preguntar …

* * *

Mujer	¿Qué tal el viaje?

* * *

Hombre 2	No estuvo mal.
Hombre 1	Y si acaba de regresar de Londres se le puede preguntar …

10

* * *

Mujer	¿Qué tal por Londres?

* * *

Hombre 2	Lo pasé bastante bien. Aunque es caro.
Mujer	Sí, es caro. Yo acabo de volver de Roma.

* * *

Hombre 2	¿Qué tal por Roma?

* * *

Mujer	No estuvo mal.
Hombre 2	¿Cuándo regresaste?

* * *

Mujer	Esta mañana. En avión.

* * *

Hombre 2	¿Qué tal el vuelo?
Mujer	Bien. Un poco cansada. El viajar cansa.

Hombre 2	Sí que cansa.

20

* * *

Mujer	Bueno, ¿qué tal van las cosas?

* * *

Hombre 2	Bien. No hay queja. ¿Y las tuyas?

* * *

Mujer   Bien también.

* * *

Hombre 2 Me alegro.

Guía   Bueno, ahora vamos a ver lo que dice el
              télex.

SEXTA ESCENA: En las oficinas de París

Linda Es que me pareció que debería de ver esto.

Luisa ¿Qué es?

Linda Un télex que acaba de llegar.

Luisa ¿De dónde?

Linda De Colombia. Del gobierno colombiano.

Julio ¿Qué quieren?

Linda Están construyendo una ciudad nueva.

Julio Y ...

Linda Necesitan medios de transporte público.

Luisa Quieren un sistema completo. Todo.   *10*
           Empezando con la planificación. Para una
           ciudad totalmente nueva.

Julio ¿De qué tamaño?

Luisa Una población de doscientos mil en un
           principio, pero con previsiones para más de un
           millón.

Julio ¿Puedo leerlo?

Luisa Toma.

Linda Y mañana llega el señor Cortés.

Luisa Sí, eso dice.   *20*

Linda Es el Director General de Planificación.

Luisa	Sí, a Pedro Cortés le conocí hace unos años en Barcelona. Otro contrato que tuvimos.
Linda	¿Cree que conseguiremos este contrato?
Luisa	Tenemos muchas posibilidades.
Julio	¿Vas a ir a verle tú sola o vamos todos?
Luisa	Iremos los cuatro. De hoy a mañana pocos preparativos podemos hacer.
Julio	No te preocupes. Nuestros precios son inmejorables. Tenemos más experiencia. Ofrecemos un buen servicio de mantenimiento. Garantizamos la fecha de entrega. El contrato es nuestro.
Linda	TSI París. Bonjour. Oui, M. Leconte, elle est là. Ne quittez pas. Es para usted. M. Leconte.
Luisa	Hola, Antoine. No, me temo que no. No, lo siento, pero no puedo. Ya sabes por qué. Antoine, no quiero hablar más de eso. Tienes que aceptarlo.
Linda	¿No cree que deberíamos irnos?
Julio	No, esto es interesante.
Luisa	Antoine, será mejor que no vuelvas a llamarme. Amigos, sí. Colegas, también. Pero nada más. Oye. Estás empezando a cansarme. Adiós. Menos mal. ¿De qué hablábamos?
Linda	Yo voy a llamar al hotel del señor Cortés.
Luisa	Sí. Y … avisa a Pablo y a Jaime para mañana.
Linda	Sí, no se preocupe.
Julio	Sie... siento que hayas tenido esa riña con Antoine.
Luisa	No podía durar.
Julio	De todos modos una ruptura así siempre disgusta.

30

40

50

Luisa	De disgusto nada.
Julio	Un poco, digo yo.
Luisa	Mira, Julio.
Julio	¿Qué?
Luisa	¿No me invitabas a cenar el otro día?
Julio	Sí.
Luisa	Pues …
Julio	Pues, ¿qué?
Luisa	¿Estás libre esta noche?
Julio	¿Esta noche?
Guía	¡Vaya! Luisa y Julio van a salir juntos. Hay posibilidades de conseguir un buen contrato. Las cosas están mejorando.

60

Cinta número 4   Cara 1
El empleo en Caracas

PRIMERA ESCENA: En las oficinas de París

Pablo	Es una buena noticia.
Luisa	Ya lo creo.
Jaime	¿A qué hora mañana?
Luisa	A las diez.
Pablo	Nos vemos antes ¿no?
Luisa	Sí. Si nos vemos aquí a las nueve y salimos a eso de las nueve y media deberíamos llegar al hotel a buena hora.
Jaime	Yo creo que sí.
Luisa	Voy a hacer unas fotocopias. Os veo más tarde. *10*
Pablo	Hasta luego.
Jaime	No tenemos tiempo para preparar los documentos necesarios.
Pablo	No los necesitamos, creo yo.
Jaime	Los necesitaremos muy pronto.
Pablo	Sí, pero mañana basta con que creemos una buena impresión …
Jaime	¿Qué posibilidades crees tú que tenemos de conseguirlo? Si es cosa del gobierno saldrá a subasta pública. *20*
Pablo	Sí, seguro que sí.
Jaime	Y en subasta pública cualquiera puede enviar una proposición.
Pablo	Claro.
Jaime	Los japoneses, los americanos, los suecos … todo el mundo.
Pablo	Sí.

Jaime	Y supongo que aceptarán la más barata y pudiera ser …
Pablo	No, pero …
Jaime	Pero ¿qué?
Pablo	Las subastas públicas no siempre son tan públicas, tan abiertas.
Jaime	Tienen que serlo, de acuerdo con la ley en la mayoría de los países.
Pablo	Sí, pero hay modos de sortearlo.
Jaime	¿De qué modo?
Pablo	No seas inocente. Se pone un anuncio en los periódicos diciendo que se saca a concurso un importante proyecto de desarrollo.
Jaime	¿Y qué?
Pablo	Luego se dice: "Se concede un plazo de veintiún días para la presentación de proposiciones." ¿Y quién va a hacerlo en tan poco tiempo?
Jaime	Siempre habrá alguno que lo haga.
Pablo	Bueno. Lo que se hace en tal caso es añadir: "Para información más detallada escribir a … etc., etc." No van presentar la proposición antes de tener toda la información necesaria. Y no se les envía hasta que falten unos días para el cierre del plazo.
Jaime	Muy astuto, aunque un poco sucio. Y mientras ¿qué?
Pablo	Mientras tanto se sabe a quién se le quiere ofrecer el contrato. Se le envía la información con el tiempo necesario para que prepare la proposición. Y a la hora de decidir tiene que ser la mejor.
Julio	Hola. ¿Qué hay?

30

40

50

Pablo	Hola, Julio.	*60*
Julio	¿De qué habláis?	
Pablo	¿No te lo imaginas? Del contrato de Colombia. De la reunión de mañana.	
Julio	Era de suponer.	
Jaime	Pablo me está diciendo que las subastas públicas no siempre son públicas.	
Julio	¿Cómo?	
Jaime	Al parecer se decide de antemano a quién se le va a ofrecer el contrato y se le da más tiempo que a los demás para que prepare la proposición.	*70*
Pablo	Ese es uno de los modos de hacerlo.	
Jaime	¿No crea mala impresión cuando se presenta una empresa solamente?	
Pablo	Siempre se les puede pedir que envíen dos o tres propuestas.	
Jaime	Menos mal que lo mío es la contabilidad. En el marketing parecen abundar los negocios sucios.	
Pablo	Jaime, el mundo de los negocios es así. Si estás en él tienes que aceptarlo. Lo más probable es que este señor haya pensado ya en dos o tres compañías. Tenemos que hacer que elija la nuestra.	*80*
Jaime	Bueno, yo voy a repasar los cálculos.	
Julio	Hoy ya no podemos hacer nada más.	
Jaime	Voy a echarles una mirada para asegurarme de que están bien.	
Luisa	Hola.	
Jaime	¿Qué hay, Luisa?	
Luisa	¿Listos para mañana?	*90*

Pablo	Creo que sí.
Jaime	Pablo ha estado explicándonos cómo conseguir un contrato en concurso público. Se necesita mucha astucia.
Luisa	Bueno, no depende de nosotros. La que decide es la empresa subastadora. Si quieren ofrecérnoslo a nosotros ya se las arreglarán. Creo que es hora de irse a casa.
Jaime	Yo voy a quedarme un poco. Quiero repasar cifras y ultimar detalles. *100*
Luisa	Tú verás. Julio, ¿vamos a salir a cenar esta noche?
Julio	Eso es lo acordado.
Luisa	Entonces voy a casa a cambiarme. ¿Puedes pasar a recogerme a eso de las siete y media?
Julio	Cuando quieras.
Luisa	Hasta luego, entonces. Pablo, Jaime, hasta mañana.
Jaime	Hasta mañana, Luisa.
Pablo	Adiós. *110*
Jaime	Con que sí ¿eh?
Pablo	¿Te has fijado? Invita a la jefa a cenar.
Jaime	"Voy a casa a cambiarme. ¿Puedes pasar a recogerme a eso de las siete y media?"
Julio	Lo que pasa es que tenéis celos.
Jaime	Buen modo de hacer negocios.
Pablo	No salía con el francés ese ...
Julio	No es ... eso se ha acabado.
Jaime	Y tú ahora le sirves de consuelo. Muy astuto, Julio. *120*
Julio	No digas tonterías. Me voy a casa.
Jaime	Camisa limpia, afeitado, colonia cara ...

Julio	Hasta mañana.
Jaime	Adiós.
Pablo	Que lo pases bien.

PRACTICA 1: Cómo conseguir un contrato

| Guía | No fue fácil ¿verdad? Sacar a concurso. Presentar proposiciones. Conseguir contratos. Vamos a oír estas expresiones otra vez. |
| Hombre | Aeropuerto de Manises, en Valencia. Se saca a concurso la construcción de dos hangares nuevos en el aeropuerto. La presentación de proposiciones se cierra el día 30. |

* * *

Mujer	¿Qué es? ¿Un anuncio?	*10*
Hombre	Sí, en el periódico de hoy.	
Mujer	¿Dónde es?	

* * *

| Hombre | En el aeropuerto de Valencia. |
| Mujer | ¿Qué sacan a concurso? |

* * *

| Hombre | La construcción de dos hangares. |
| Mujer | Podemos concurrir ¿no? |

* * *

| Hombre | Sí, es una subasta pública. |
| Mujer | ¿Qué plazo nos dan? |

* * *

| Hombre | Hasta el día treinta. | |
| Mujer | Y hoy es día nueve. Tres semanas. | *20* |

* * *

Hombre	Sí, tenemos veintiún días para presentar la proposición.
Mujer	¿Dan información alguna?

* * *

Hombre	El anuncio dice que se puede solicitar información.
Mujer	¿Tú crees que el concurso es público de verdad?

* * *

Hombre	No lo sé. A veces deciden de antemano.
Mujer	Sí, en el mundo de los negocios se requiere mucha astucia.	*30*

* * *

Hombre	¿Concursamos o no?

* * *

Mujer	Sí, hay que probar. Vamos a preparar nuestra propuesta.
Guía	Mientras tanto Julio y Luisa van a cenar juntos.

SEGUNDA ESCENA: París – en un restaurante

Julio	¿Qué te parece este restaurante español?
Luisa	Está muy bien.
Julio	¿Has estado aquí alguna vez?
Luisa	No, nunca.
Julio	Yo tampoco. Pero tiene fama.
Luisa	El aspecto es excelente.
Julio	Se puede bailar. Y tiene cabaré.
Luisa	Sí, pero esta noche no.

Julio	¿Esta noche, no?
Luisa	Es sólo los viernes y sábados. *10*
Julio	¿Cómo lo sabes?
Luisa	Hay una nota a la entrada que lo dice.
Julio	¡Qué pena!
Luisa	No importa. Si la comida es buena ...
Julio	Sí, pero yo quería bailar.
Luisa	Bueno, si insistes a lo mejor te dejan.
Camarero	¿Ya han decidido los señores lo que van a cenar?
Luisa	Ay, yo todavía no he mirado la carta.
Julio	Dénos un poco más de tiempo. No hemos *20* decidido aún.
Camarero	No hay prisa. Cuando ustedes gusten.
Julio	Bueno, vamos a ver. ¿Qué tienen?
Luisa	Sopa de espárragos que me gusta mucho. Y merluza a la romana .
Julio	A la romana, ¿cómo es?
Luisa	Rebozada y frita.
Julio	Poco es.
Luisa	¿Y tú?
Julio	Tienen caza. Faisán, liebre ... *30*
Luisa	No lo vi. ¿Dónde está?
Julio	En la otra página. Ahí, a la derecha.
Luisa	Ah, sí. Debe estar bien.
Julio	Yo tengo hambre. Y la caza tiene poco que comer.
Luisa	Toma una sopa para empezar.
Julio	Sí, pero ya sabes, estos restaurantes caros ...

Luisa	¿Qué les pasa?
Julio	Lo cocinan todo muy bien, pero te dan muy poco.

40

Luisa	Tómate otro plato.
Camarero	¿Listos? ¿Qué desean?
Luisa	Para mí, sopa de espárragos y merluza a la romana.
Camarero	… y merluza a la romana. Muy bien. ¿Y para usted?
Julio	¿Las raciones son abundantes?
Camarero	¿Cómo dice?
Julio	Que si las raciones son grandes. Porque tengo mucha hambre.

50

Camarero	Si queda con hambre puede tomar otro plato.
Julio	Bueno, yo voy a tomar faisán.
Camarero	Lo siento, señor, pero no tenemos faisán. No es la temporada.
Julio	Vaya, hombre.
Camarero	Tenemos un salmón al horno que está muy bien. Unas chuletitas de cordero muy sabrosas …

PRACTICA 2: Lo que se dice en un restaurante

Guía	Julio y Luisa están cenando juntos. Deciden lo que van a cenar y se lo piden al camarero. Oigamos a otro cliente haciendo lo mismo. Lo primero es llamar al camarero, claro.
Mujer	Camarero, por favor.
Hombre	Dígame.
Mujer	¿Eh, me trae la carta?

* * *

	Quiero ver la carta.	
Hombre	¿La carta? Ahí la tiene, en la mesa.	
Mujer	No. ¿Dónde?	*10*
Hombre	¿No es eso?	

* * *

Mujer	Esta es la lista de vinos.
Hombre	Oh, perdón, ahora mismo se la traigo. Aquí tiene.
Mujer	Gracias. Voy a tomar un escalope de ternera con patatas. Y para empezar sopa de pescado.
Hombre	¿Qué desea tomar?

* * *

Mujer	De primer plato, sopa de pescado.
Hombre	¿Y detrás?

* * *

Mujer	Un escalope de ternera.	*20*
Hombre	¿Quiere algo con el escalope?	

* * *

Mujer	Sí. Unas patatas fritas.
Hombre	¿Le pongo una ensalada?

* * *

Mujer	Sí, ensalada de lechuga y tomate.
Hombre	¿Y para beber?

* * *

Mujer	Vino.
Hombre	¿Tinto o blanco?

* * *

Mujer	Media botella de vino blanco.
Guía	Ya ha comido. Y ahora tiene que pagar. Llama al camarero.

* * *

Mujer	Camarero, por favor.
Hombre	Dígame.

* * *

Mujer	Me trae la cuenta, si hace el favor.
Hombre	Ahora mismo. Aquí tiene.
Mujer	¿Qué es esto?
Hombre	¿El qué?
Mujer	¿Estas ciento cincuenta pesetas?
Hombre	Es el IVA, que es el quince por ciento.
Mujer	Ah, tenga y quédese con la vuelta.
Hombre	Muchas gracias.
Guía	Luisa y Julio ya cenaron y ahora Julio la acompaña a casa.

40

TERCERA ESCENA: París – en el coche de Julio

Luisa	Bueno, Julio, tengo que darte las gracias por una velada muy agradable.
Julio	No hay de qué.
Luisa	cena estuvo muy bien. Y el bar al que me ste tenía mucho ambiente.
	res podemos ir a tomar otras copas. Hay
	. Creo que es hora de retirarse.
	to?

127

50

Luisa	Sí. No quiero estar cansada mañana. *10*
Julio	Como quieras.
Luisa	Para ti no estuvo tan bien. No pudiste bailar.
Julio	Otro día será.
Luisa	Saliste del restaurante con hambre.
Julio	Pero con el bocadillo que tomé en el bar quedé bien.
Luisa	Bueno, me voy. Buenas noches. Y gracias otra vez.
Julio	¿No vas a invitarme a entrar, a tomar un café?
Luisa	No. *20*
Julio	¿No?
Luisa	No, Julio, sería una equivocación.
Julio	Nada más que un café.
Luisa	No. La próxima vez.
Julio	Es que irse así …
Luisa	Lo siento, Julio. Pero se empieza con el café y después …
Julio	¿Y qué tiene de malo?
Luisa	No insistas. Ha sido una velada muy agradable.
Julio	Bueno, si tú no quieres. *30*
Luisa	No es que no quiera. Es que …
Julio	Mira, mañana, mañana por la noche. ¿Qué te parece si salimos a algún sitio?
Luisa	Ya veremos.
Julio	¿Nos vemos mañana en la oficina?
Luisa	Sí, hasta mañana. Y gracias.
Julio	Buenas noches.

PRACTICA 3: Despedidas

Hombre	Es tarde ya. (¿Qué dice ella?)

* * *

Mujer	Es hora de retirarse. (El no está de acuerdo.)

* * *

Hombre	¡Tan pronto! (Ella le da las gracias.)

* * *

Mujer	Gracias, fue una velada muy agradable. (Para él también.)

* * *

Hombre	Sí, estuvo muy bien. (¿Van a verse al día siguiente?)

* * *

Mujer	¿Nos vemos mañana? (El, encantado.)
Hombre	Si quieres salimos a tomar algo. (Ella se va.)

* * *

Mujer	Me voy. Buenas noches. (El también.)	*10*

* * *

Hombre	Buenas noches.
Mujer	Hasta mañana.
Hombre	Hasta mañana. Que descanses.
Guía	A la mañana siguiente tienen que ir a ver al señor Cortés en el hotel donde se hospeda.

CUARTA ESCENA: En las oficinas de París y en el hotel del señor Cortés

Pablo	Buenos días, Julio.
Julio	Buenos días.
Pablo	¿Qué tal?

Julio	Bien.
Pablo	Quiero decir que si lo pasaste bien anoche.
Julio	Sí, muy bien.
Pablo	Cuéntame algo.
Julio	¿Qué quieres que te cuente?
Pablo	Yo soy un hombre con experiencia.
Julio	¿Y qué?
Pablo	Que puedes contarme lo que pasó anoche con la jefa.
Julio	No te metas en lo que no te importa.
Pablo	Allá tú.
Luisa	Buenos días.
Varios	Buenos días.
Luisa	¿Todos listos?
Pablo	Sí.
Luisa	Tenemos que irnos enseguida.
Julio	¿Dónde está Jaime?
Luisa	Está esperando fuera. ¿En qué vamos? Mi coche es demasiado pequeño.
Pablo	Vosotros dos podéis ir juntos. Y yo llevo a Jaime en el mío.
Julio	Vale.
Pablo	Nos vemos en el vestíbulo del hotel.
Luisa	Ya llegamos. Este es el hotel.
Julio	¿Sabes el número de la habitación?
Luisa	Sí, es la quinientos trece. Diré a la recepcionista que le llame. Perdone.
Recepcionista	Un momento. ¿En qué puedo servirle?
Luisa	¿Podría llamar al señor Cortés, habitación 513? Dígale que le estamos esperando.

10

20

30

Recepcio.	¿Le llama?
Luisa	Luisa Ortega.
Recepcio.	Bien. Pasen al salón. Ahora mismo le llamo.
Pedro	Hola, Luisa. Tan guapa somo siempre. ¿Cómo estás?
Luisa	Bien, Pedro. Ya veo que tú no cambias nada.
Pedro	Me encuentro bien, pero el tiempo pasa.
Luisa	En ti no se nota.
Pedro	¿Cuánto hace que no nos vemos?
Luisa	Debe de hacer cinco años. En Barcelona, ¿recuerdas?
Pedro	¡Claro que me acuerdo! ¿Y las cosas marchan bien aquí en París?
Luisa	Estamos empezando, pero no hay queja.
Pedro	Supongo que éstos son tus colegas.
Luisa	Sí. Este es Julio Gómez, ingeniero técnico.
Julio	Encantado de conocerle, señor Cortés.
Pedro	Oye, vamos a tutearnos.
Luisa	Jaime, jefe de finanzas.
Pedro	Tanto gusto.
Luisa	Y éste es Pablo, que se encarga del marketing.
Pablo	Encantado.
Pedro	Bueno, vamos a sentarnos y tomar algo. ¿Café para todos?

40

50

60

PRACTICA 4: Encuentros con conocidos

Guía	Luisa y el señor Cortés se conocen desde hace unos años. Se saludan como viejos amigos. Oigamos una conversación entre dos amigos que se encuentran inesperadamente.
Hombre 1	¿Ves aquella chica que está allí?
Hombre 2	Sí.
Hombre 1	Creo que la conozco. Sí, es Julia.
Hombre 2	¿Qué Julia?
Hombre 1	La conocí en Valencia. Hace cinco o seis años.
Hombre 2	Te ha reconocido también. Mira, te está llamando.
Hombre 1	Ah, sí, voy a saludarla.
Hombre 2	El le pregunta cómo está.

10

* * *

Hombre 1	Hola, Julia. ¿Cómo estás?
Hombre 2	Ella dice que bien.

* * *

Mujer	Bien, ¿y tú?
Hombre 2	El dice que la encuentra bien.

* * *

Hombre 1	No has cambiado nada, Julia.
Hombre 2	Ella responde que el tiempo pasa.

20

* * *

Mujer	Estoy bien, pero el tiempo pasa.
Hombre 2	El le pregunta cuánto tiempo hace.

* * *

| Hombre 1 | ¿Cuánto tiempo hace que no nos vemos? |
| Hombre 2 | ¿Tres años? |

* * *

| Mujer | Debe hacer tres años. |
| Hombre 2 | Más, más. |

* * *

| Hombre 1 | No, hace más. Cinco años por lo menos. |
| Hombre 2 | Ella se sorprende. |

* * *

| Mujer | ¿Tanto tiempo? ¿Cinco años? |
| Hombre 2 | El le dice dónde se conocieron. | *30* |

* * *

| Hombre 1 | Nos conocimos en Valencia, ¿recuerdas? |
| Mujer | Sí que lo recuerdo. ¿Cómo marchan tus cosas? |

* * *

| Hombre 1 | Bastante bien. ¿Y tu vida? |

* * *

| Mujer | No hay queja. |

* * *

| Hombre 1 | Me alegro. |
| Hombre 2 | Y ahora me presenta a mí. |

* * *

| Hombre 1 | Voy a presentarte a mi amigo. Eduardo, te presento a Julia. |

* * *

Hombre 2	Encantado.	*40*
Hombre 1	A Julia la conocí en Valencia hace cinco años.
Mujer	Y no hemos vuelto a vernos desde entonces.

Hombre 1	¡Cómo pasa el tiempo!
Guía	Están en el hotel con el Sr. Cortés. Oígamos cómo marchan las negociaciones.

QUINTA ESCENA: París – en el hotel del señorCortés

Pablo	Este es de tracción eléctrica. Da buenos resultados. Sabemos que funciona bien. Pero, requiere mucho espacio. Mucho.	
Pedro	Y la verdad no disponemos de él.	
Pablo	La ventaja que tenéis es que podéis evitar los errores cometidos en otros países. Aquí en Europa, y en América.	
Pedro	Sí, eso sí.	
Pablo	Además como estáis planeando la ciudad desde el principio será más fácil.	*10*
Pedro	¿Y este otro?	
Pablo	Ah, esto es lo último, la tecnología más avanzada que hay. Muy rápido, buen rendimiento, consumo energético muy bajo … Pero la instalación es muy cara.	
Pedro	¿Y vosotros podéis montar cualquiera de estos sistemas?	
Pablo	Cualquiera de ellos y rápidamente. Contamos con los servicios de cinco o seis de las mejores compañías en el mundo. Y podemos proponeros diversas soluciones.	*20*
Pedro	¿Y llevaría mucho tiempo?	
Luisa	Qué va. Como ves somos un equipo pequeño. Cuatro solamente. Y podemos desplazarnos a cualquier sitio rápidamente.	
Pedro	En principio me interesa, pero …	

Pablo	Y nuestros precios no hay quien los mejore. Podemos seleccionar a nuestros proveedores. A los que nos ofrezcan mejores condiciones. Y los beneficios de este sistema pasan al cliente. *30*
Pedro	Bueno, ahora la pregunta clave. ¿Cuándo podréis entregarme una proposición detallada?
Luisa	¿De qué tiempo dispones?
Pedro	Tenemos que tener el acuerdo esbozado para finales de año.
Luisa	Lo cual quiere decir que tenéis que recibir las proposiciones dentro de ocho o diez semanas.
Pedro	Sí, dentro de un par de meses.
Luisa	Tienes que darnos una idea del presupuesto.
Pedro	¿Presupuesto? Cuanto más reducido mejor. *40*
Luisa	Supongo que podríamos enviarte dos o tres proposiciones.
Pedro	Sería lo ideal.
Luisa	Necesitamos saber el coste relativo de los carburantes, el tipo de instalación eléctrica, el precio del gasoil y demás.
Pedro	De acuerdo.
Pablo	Y tener una idea del coste de la mano de obra.
Pedro	Todo eso lo tengo. Lo he traído conmigo y os lo puedo dar. *50*
Luisa	Hay algo que me preocupa, Pedro.
Pedro	Dime.
Luisa	Con franqueza, no queremos pasar dos o tres meses trabajando para nada.
Pedro	Ya sé lo que me vas a preguntar.
Luisa	¿Qué posibilidades tenemos de conseguir el contrato?

Pedro	Hombre, no puedo decíroslo. He seleccionado tres compañías. Voy a recibir propuestas de las tres. Creo que tenéis bastantes posibilidades. *60* Pero no puedo prometeros nada antes de ver las proposiciones.
Luisa	Comprendo lo que me dices. Pero es que trabajar tanto para nada.
Pedro	Los gastos de preparar la proposición no puedo reembolsároslos. Eso seguro.
Luisa	No, si lo comprendo.
Pedro	Ahora bien, entre amigos puedo deciros que las otras dos compañías no ofrecen lo que ofrecéis vosotros. Esto no es oficial, ¿eh? *70* Hay que esperar.
Luisa	Bueno, algo es algo.

PRACTICA 5: Fijando plazos

Guía	Han estado hablando del tiempo de que disponen y del tiempo que necesitan. Vamos a practicar algunas expresiones de este tipo.
Mujer	Quieren ver un prototipo.
Hombre	¿Para cuándo?

* * *

	¿Para cuándo lo quieren?
Mujer	Para el treinta de junio.
Hombre	¿Cuánto tiempo?

* * *

	¿Cuánto tiempo tenemos?
Mujer	Unas seis semanas. *10*
Hombre	¡Seis semanas! Necesitamos más de seis semanas.

Mujer	¿Cuánto?

* * *

¿Cuánto tiempo necesitamos?

Hombre	Tenemos que fabricarlo.
Mujer	¿Cuándo?

* * *

¿Cuánto tiempo llevaría fabricarlo?

Hombre	Dos o tres semanas. Luego tenemos que probarlo.

* * *

Mujer	¿Cuánto tiempo llevaría probarlo?	*20*
Hombre	Otra semana por lo menos. Luego tenemos que transportarlo.	

* * *

Mujer	¿Cuánto tiempo llevaría el transporte?
Hombre	Otras dos semanas.
Mujer	Entonces podemos hacerlo dentro del plazo. Son seis semanas en total.
Hombre	Sí, si todo sale bien. Pero no podemos garantizar que esté listo en seis semanas.
Mujer	¿Cuándo?

* * *

	¿Cuánto tiempo crees que va a llevar?	*30*
Hombre	Yo creo que es más prudente calcular ocho semanas.
Mujer	Ocho semanas. De acuerdo. Pero que no pase de ocho semanas.
Hombre	Haré lo que pueda.
Guía	Las negociaciones con el señor Cortés han ido bastante bien. Es de suponer que todo el equipo se debe de sentir optimista.

SEXTA ESCENA: París – en el coche de Luisa y en las oficinas

Julio	Bueno, ¿qué te pareció?
Luisa	Yo creo que salió bastante bien.
Julio	No tenemos el contrato todavía.
Luisa	No. Y no lo sabremos hasta finales del verano. Pero me parece que las cosas marchan bien.
Julio	La comida fue muy buena.
Luisa	Sí, a Pedro le gusta comer bien.
Julio	Daba la impresión de estar muy contento con todo.
Luisa	Sí, yo creo que si la decisión depende de él tenemos muy buenas posibilidades.
Julio	Luisa, ¿y está noche? ¿Por qué no salimos?
Luisa	¿A cenar?
Julio	Sí, a cenar juntos.
Luisa	Voy a decirte que no, Julio.
Julio	¿Por qué? ¿Por Antoine?
Luisa	Bueno, sólo en parte. No es sólo él. Esto … no conduce a nada.
Julio	Perdón, no te entiendo.
Luisa	Tú te vas a América y …
Julio	Pero …
Luisa	… a trabajar en Caracas y luego, tal vez, a Houston …
Julio	Oye, pero …
Luisa	… ahora, cuando vamos a necesitarte. Con el contrato éste, podrías ayudarnos a preparar la proposición. Y te vas de París …
Pablo	Hola, Luisa. Hola, Julio. ¿Qué os pareció?
Luisa	Ah … hola. Bien. Creo que todo fue muy bien.

10

20

Pablo	Magnífico. Yo me siento muy optimista. Cuando nos dijo que entre amigos, teníamos muchas posibilidades … Y eso fue antes de comer. La comida fue extraordinaria. Con esa comida ganamos el contrato.	*30*
Julio	Mira, Luisa, las cosas han cambiado.	
Luisa	¿Qué es lo que ha cambiado?	
Julio	Bueno, todo.	
Pablo	¿De qué habláis?	
Julio	Yo quería irme de París, pero …	
Pablo	Dígame. Sí, sí, aquí está. Un momento. Luisa es para ti. Es M. Leconte.	*40*
Luisa	¿Antoine?	
Julio	¡Vaya!	
Luisa	Dime, Antoine. Sí. Comprendo. Un momento. Estoy en el vestíbulo. Voy a mi despacho. Pablo, ¿te importaría pasar esta llamada a mi despacho?	
Pablo	Oiga. Un momento. Voy a conectarle. Ya puede hablar.	
Julio	Bueno, se acabó.	*50*
Pablo	¿Cómo dices?	
Julio	Tenía razón. No pinto nada en París.	
Pablo	Es decir, que te vas a Venezuela.	
Julio	Creo que sí.	
Pablo	Pero eso ya lo habías decidido hace dos a tres semanas.	
Julio	No, acabo de decidirlo ahora mismo.	
Pablo	¿Ya has firmado el contrato?	
Julio	No, pero voy a firmarlo ahora.	
Luisa	Bueno, ya está.	*60*

140

Julio	Poco duró la conversación.
Luisa	¿Qué me estabas diciendo Julio?
Julio	¿Sobre qué?
Luisa	Que las cosas eran diferentes, que habían cambiado ...
Julio	Nada, nada ha cambiado.
Luisa	Desde luego, Julio, sacas a cualquiera de quicio. Pablo, vamos a empezar a trabajar.
Pablo	Manos a la obra.
Guía	Se ve que Julio está celoso. No sabe qué hacer o decir. Hay optimismo en la oficina pero él no lo comparte.

70

Cinta número 4   Cara 2
Julio se va

PRIMERA ESCENA: En las oficinas de París

Julio   La primera carta va dirigida a RTS en Caracas,
Venezuela. Para el señor Justino Alvarez de la
Vega. Con fecha de hoy. Distinguido señor
Alvarez de la Vega. No, no me gusta. Pon:
Estimado señor Alvarez. Suena mejor. Dos
puntos. Doy respuesta a su escrito del pasado
día ... Mira la fecha. Después de pensarlo mucho
he decidido que será mejor que me quede en
París puesto que ... No, deja esa carta. Vamos
a empezar con otra. Carta dirigida a PAESA   *10*
en Madrid. La dirección está en el archivo.
Para don Juan Ortiz. Estimado Juan. Dos puntos.
Te escribo para plantearte un asunto muy
delicado. Punto. Por diversas razones decidí
dejar la empresa y aceptar otro empleo en
Caracas. Coma. Pero ahora he cambiado de
parecer y quisiera quedarme aquí. Punto y
aparte. No es fácil para mí justificar este
cambio de parecer. Punto. Necesito que alguien
me ayude. Punto. Y me pregunto si te   *20*
importaría ...
... podrías escribir explicándoles por qué
quiero quedarme en París. Punto. Te quedaré
muy agradecido. Punto. Si tú necesitases ... Ya
está. Ponle fecha de ayer. Con eso basta.

PRACTICA 1: Correspondencia

Guía   ¡Vaya! Julio ha cambiado de parecer. ¿Podrá
quedarse en París? Para ello ha enviado una
carta. ¿Cómo se presenta una carta en
español? Vamos a ver.

Mujer   ¿Sabe componer y presentar una carta?

Hombre   ¿Una carta? Sí, creo que sí.

Mujer	Para empezar, ¿qué se pone en la parte de arriba a la derecha?
Hombre	¿En la parte de arriba a la derecha?

* * *

	La dirección del que escribe.	*10*
Mujer	¿Y a la izquierda, un poco más abajo?	

* * *

Hombre	La dirección de la otra persona. La persona a quien se escribe.
Mujer	Así es. Las dos direcciones primero. ¿Y luego?

* * *

Hombre	La fecha.
Mujer	La fecha que suele ir a la derecha también. ¿Y para completar el encabezamiento?

* * *

Hombre	Las referencias de ambos.	
Mujer	¿Y cómo se empieza la carta?	*20*

* * *

Hombre	Muy señor mío o muy señores míos.
Mujer	¿Y si se conoce a la persona a quien se escribe?

* * *

Hombre	Estimado amigo o estimada amiga.
Mujer	¿Y si se escribe a un amigo intimo?

* * *

Hombre	Querido Angel.
Mujer	Muy bien. ¿Y después qué se pone?

* * *

Hombre	Dos puntos. Y se empieza la carta en la línea siguiente.

Mujer   ¿Y para despedirse en una carta de negocios? *30*

* * *

Hombre   Le saluda atentamente.

Mujer   ¿Y si es un amigo?

* * *

Hombre   Recibe un cordial saludo.

Mujer   ¿Y para concluir?

* * *

Hombre   El nombre y la firma.

Guía   No se puede decir que presente muchas dificultades.

SEGUNDA ESCENA: En las oficinas de París

Julio   Buenas tardes, Linda.

Linda   Buenas tardes. ¿Está libre un momento?

Julio   Sí, ¿qué pasa?

Linda   La reunión del comité.

Julio   ¿El comité técnico de enlace?

Linda   Sí, la reunión del día tres.

Julio   ¿Hay alguna dificultad?

Linda   El representante de Roma. Un tal Signor Manzzoni. No va a estar aquí el día tres. No puede llegar hasta el cuatro. *10*

Julio   ¿Quién ha dicho eso?

Linda   Llamaron desde Roma, por teléfono, esta mañana.

Julio	Pero ya habíamos acordado la fecha. Es una reunión importante y tienen que asistir todos.
Linda	Lo comprendo. Pero dijo que no podía.
Julio	¿A qué viene entonces? ¿Va a reunirse él solo el día cuatro? La reunión es el tres. El día cuatro no habrá nadie. Estará él solo.
Linda	Ya se lo dije, pero no puede venir el día tres. *20*
Julio	¿Con quién hablaste? ¿Hablaste con … ? ¿Cómo dijiste que se llamaba?
Linda	Manzzoni. Signor Manzzoni.
Julio	¿Hablaste con él?
Linda	Creo que no era él. Era otra persona de la empresa.
Julio	Mira. Esto es lo que tienes que hacer. Llama a Roma y habla con él, con el Signor Manzzoni y nadie más. Tiene que ser el jefe de diseños. Habla con Manzzoni y dile que tiene que estar aquí el día tres. *30*
Linda	Como usted diga.
Julio	Y si tienes problema alguno, avísame para que yo hable con él.
Linda	Bueno, ahora mismo llamo.

PRACTICA 2: Instrucciones y órdenes

Guía	La gente de Roma le está creando muchos problemas a Julio. Se ha enfadado un poco y ha empezado a dar órdenes. Oigamos algunas de las expresiones que se utilizan para dar instrucciones y órdenes.

145

Mujer   Oiga. Hemos tenido un pequeño accidente. Uno de mis compañeros se ha enganchado la corbata en la multicopista. ¿Qué podemos hacer?

Hombre   Cálmese. ¿Está ahí con usted?   *10*

Mujer   Sí.

Hombre   ¿Qué tipo de máquina es?

Mujer   Una X-30.

Hombre   Bien. Dígale que se calme.

* * *

Mujer   ¡Cálmate!

Hombre   Dígale que no tire de la corbata.

* * *

Mujer   No tires de la corbata.

Hombre   Vale. Dígale que apague la máquina.

* * *

Mujer   Apaga la máquina.

Hombre   Dígale que abra la tapa.   *20*

* * *

Mujer   Abre la tapa.

Hombre   Dígale que pulse el botón que está a su izquierda.

* * *

Mujer   Pulsa el botón de la izquierda.

Hombre   Dígale que levante el rodillo superior.

* * *

Mujer   Levanta el rodillo superior.

Hombre   Dígale que no lo deje caer.

* * *

Mujer	No lo dejes caer.

* * *

Hombre	Dígale que haga girar el otro rodillo.

* * *

Mujer	Ahora, haz girar el otro rodillo.	*30*
Hombre	Ya está, ¿no?	
Mujer	Sí, sí, gracias.	
Hombre	Bueno, ahora dígale que baje el rodillo, que cierre la tapa, y que vuelva a conectar la máquina.	

* * *

Mujer	Baja el rodillo, cierra la tapa y vuelve a conectar la máquina.
Hombre	Dígale que no vuelva a ponerse corbata para usar la multicopista.

* * *

Mujer	No vuelvas a ponerte corbata para usar la multicopista.	*40*
Guía	Bueno, basta de instrucciones. Volvamos a las oficinas de París para ver lo que pasa.	

TERCERA ESCENA: En las oficinas de París

Linda	¿Se puede?
Julio	Pasa, pasa, Linda. ¿Qué hay?
Linda	Ya hablé con el Signor Manzzoni.
Julio	¿Y qué?
Linda	Va a venir.
Julio	¿Para el día tres?
Linda	Sí. Dice que es difícil, pero que vendrá.

Julio	Menos mal. Te felicito. Has sabido convencerle. Con esta gente hay que mostrarse duro.
Linda	Tengo entendido que nos deja. *10*
Julio	Sí, me temo que sí.
Linda	No parece que tenga muchas ganas de irse.
Julio	Pues no.
Linda	¿Entonces, por qué se va?
Julio	Hace un par de semanas me parecía bien, pero ahora …
Linda	¿Por qué no cambia de planes? Hable con la señorita Ortega. Estoy segura de que ella quiere que se quede.
Julio	No sé. *20*
Linda	¿Por qué no lo hace?
Julio	Hay otro problema.
Linda	¿Sí?
Julio	El trabajo ese de Caracas no es seguro.
Linda	¿Qué quiere decir?
Julio	No es seguro porque no he firmado nada todavía. No está decidido. A lo mejor se lo ofrecen a otro.
Linda	Yo creo que se está complicando la vida sin necesidad. *30*
Julio	Tal vez tengas razón.
Linda	Lo mejor que puede hacer es ir a hablar con la señorita Ortega. Ahora mismo. Y dígale que se quiere quedar.
Julio	Adelante.
Luisa	Perdón. Hola, Julio.
Julio	Hola.
Luisa	¿Puedo verte un momento?

Julio	Sí, pasa y siéntate.
Linda	Además quiere hablar con usted. *40*
Luisa	¿Sí? ¿De qué?
Julio	Bueno, no sé cómo decírtelo.
Linda	Yo me voy. Tengo cosas que hacer.
Julio	Vale. Gracias, Linda.
Luisa	Tú dirás.
Julio	¿Cómo está Antoine?
Luisa	¿Antoine?
Julio	Sí, ¿cómo van vuestras cosas?
Luisa	Bien. No … no sé a qué te refieres. ¿A nuestras relaciones? *50*
Julio	Sí, a eso.
Luisa	Ya no existen. Cuando hablé con él por teléfono le dije que todo se había acabado.
Julio	¿Sí?
Luisa	¿Era de eso de lo que querías hablarme?
Julio	En parte, sí. Mira, quisiera quedarme aquí en París. Seguir trabajando aquí.
Luisa	La verdad es que no me disgustaría. Quisiera que te quedases. Pero es demasiado tarde.
Julio	¿Por qué? *60*
Luisa	Ya hemos encontrado a alguien para reemplazarte. Ya le hemos ofrecido el puesto a otra persona. Llega el lunes, para que tú puedas ponerle al corriente.
Julio	¿El lunes ya?
Luisa	Sí. El lunes por la mañana.
Julio	O sea que ya está todo decidido.
Luisa	Me temo que sí. Sería difícil cambiarlo ahora.

Julio	¿Y dices que llega el lunes?
Luisa	Sí, así podréis asistir los dos a la reunión del comité. Y tú le enseñas lo que hay que hacer.
Julio	¿De dónde es?
Luisa	De Madrid.
Julio	¿Quién es?
Luisa	Me parece que le conoces.
Julio	¿Que le conozco, dices?
Luisa	Os conocisteis en el vuelo de Madrid a París. Y después creo que os visteis en Barcelona. Y tengo entendido que tú te portaste bastante mal con él.
Julio	¡No es posible!
Luisa	Sí que lo es. Manuel Escudero.
Julio	¿A Escudero? ¿Le habéis dado mi puesto a Escudero?
Luisa	Sí, ¿por qué no?
Julio	¿Pero. no es el jefe de ventas, o algo así, de TESA?
Luisa	¿Y qué? Quiere cambiar.
Julio	¿Pero, cómo vas a meter en el equipo a un tipo así?
Luisa	Está muy preparado. Y tiene mucha experiencia en lo nuestro.
Julio	Decidido. No me voy. Me quedo. Tendréis que echarme.
Luisa	No veo cómo puedes quedarte.
Julio	Repito que no me voy.

70

80

90

PRACTICA 3: Escuchar para entender (3)

Guía	De manera que Julio va a ver de nuevo a su amigo Escudero. ¿Habrá otra riña? Pronto lo sabremos. Mientras tanto aquí tiene un ejercio en el que no tiene más que escuchar.
Mujer	Acabo de recibir un aviso telefónico para el señor Moreno. Es de una tal señora Sánchez. Al parecer le han dicho que el señor Moreno va a dejar su apartamento. Ella trabaja en la sección de ventas por las tardes y alguien se lo ha dicho. Está buscando un lugar céntrico para vivir y oyó decir que el señor Moreno se va al extranjero. Como está buscando apartamento le gustaría ver el del señor Moreno, si queda libre. Puede ponerse en contacto con ella cualquier día por la tarde en la oficina. Cualquier día excepto los miércoles. Y nada más.
Guía	Bueno, vamos a oírlo otra vez.
Mujer	Acabo de recibir un aviso telefónico para el señor Moreno. Es de una tal señora Sánchez.
Hombre	Un aviso. Para el señor Moreno. De la señora Sánchez.
Mujer	Al parecer le han dicho que el señor Moreno va a dejar su apartamento.
Hombre	Apartamento. Va a dejar su apartamento.
Mujer	Ella trabaja en la sección de ventas por las tardes y se lo ha dicho alguien.
Hombre	La sección de ventas. Por las tardes.
Mujer	Está buscando un lugar céntrico para vivir y oyó decir que el señor Moreno se va al extranjero. Como está buscando apartamento le gustaría ver el del señor Moreno, si queda libre.

10

20

30

151

Hombre	Un lugar céntrico. El señor Moreno se va al extranjero. Le gustaría ver su apartamento.
Mujer	Puede ponerse en contacto con ella en la oficina cualquier día por la tarde, excepto los miércoles. Y nada más.
Hombre	Ponerse en contacto con ella. Cualquier tarde. Excepto los miércoles. *40*
Mujer	Acabo de recibir un aviso telefónico para el señor Moreno. Es de una tal señora Sánchez. Al parecer le han dicho que el señor Moreno va a dejar su apartamento. Ella trabaja en la sección de ventas por las tardes y alguien se lo ha dicho. Está buscando un lugar céntrico para vivir y oyó decir que el señor Moreno se va al extranjero. Como está buscando apartamento le gustaría ver el del señor Moreno, si queda libre. Puede ponerse en *50* contacto con ella cualquier día por la tarde en la oficina. Cualquier día excepto los miércoles. Y nada más.
Guía	Y ahora llega a París el señor Escudero para hacerse cargo del puesto de Julio.

CUARTA ESCENA: En las oficinas de París

Luisa	Señor Escudero, aquí el señor Gómez. Creo que ya se conocen.
Julio	Sí, ya nos conocemos.
Escudero	Bastante bien, por cierto.
Luisa	¿A qué hora empieza la reunión del comité?
Julio	A las dos.
Luisa	O sea que os iréis dentro de media hora.
Julio	Media hora poco más o menos.
Luisa	Será mejor que os deje para que habléis.

Escudero	Hasta luego.	*10*
Julio	No sé qué decir.	
Escudero	Será mejor olvidar lo pasado.	
Julio	Olvidado.	
Escudero	Bueno, a esta reunión yo voy de espectador. Para hacerme una idea de lo que pasa. Usted se encargará de todo ¿no?	
Julio	Vale, no se preocupe.	
Escudero	De todos modos supongo que no me enteraré de nada.	
Julio	¿Qué quiere decir?	*20*
Escudero	Que me imagino que será demasiado técnico para mí.	
Julio	Pero usted es ingeniero ¿no?	
Escudero	Sí, pero yo terminé mis estudios hace muchos años. Muchos años. Y las cosas han cambiado desde entonces.	
Julio	Entonces, Escudero, ¿por qué quiere mi puesto?	
Escudero	¿Me lo pregunta en serio?	
Julio	Desde luego. No me parece un trabajo apropiado para usted.	*30*
Escudero	Oh, yo creo que sí.	
Julio	Y además, su trabajo anterior …	
Escudero	La verdad es que tenía ganas de dejarlo.	
Julio	Pues yo no tengo ganas de dejar el mío.	
Escudero	¿No?	
Julio	Quiero quedarme en París y seguir trabajando aquí.	
Escudero	Creo que es demasiado tarde. Yo ya he firmado el contrato. No sé si podrán ofrecerle otro empleo aquí.	*40*

Julio	Usted no sirve para este trabajo. No es lo suyo. Lo mejor será que vuelva a lo que estaba haciendo.
Escudero	Lo siento mucho, pero no es posible.
Julio	¿Por qué no?
Escudero	El contrato está firmado y yo me quedo aquí.
Julio	¿Quedarse aquí? ¡Va a quedarse con las ganas!
Escudero	Lo dudo. Y ahora, si no le importa, _50_ explíqueme el programa para esta tarde. Tendremos que irnos enseguida. Quiero saber lo que va a ocurrir. No tengo ganas de hacer el tonto.

PRACTICA 4: Ganas de hacer algo

Guía	Parece que las relaciones entre estos dos no mejoran. Los dos quieren quedarse en la empresa. Uno va a quedarse con las ganas. Vamos a practicar esta expresión con la palabra "ganas".
Hombre	Mercedes, ¿quieres ir al cine?
Mujer	No.
Hombre	¿Por qué? ponen una buena película.

* * *

Mujer	No tengo ganas de ir al cine.
Hombre	¿Qué quieres hacer? (Quiere comer) _10_

* * *

Mujer	Tengo ganas de comer.
Hombre	Yo también tengo hambre. Hay un restaurante muy bueno en las afueras. (No quiere ir tan lejos)

* * *

Mujer	No tengo ganas de ir tan lejos.
Hombre	Y yo no tengo ganas aguantarte. ¿A dónde quieres ir?
Mujer	Vamos al Ristorante Rialto. (Quiere una pizza)

* * *

Tengo ganas de una pizza. *20*

Hombre	Lo siento, pero los lunes está cerrado.

* * *

¡Te vas a quedar con las ganas!

Guía	Y Julio sigue con ganas de quedarse en París. Pero va a ser muy difícil. Veamos lo que ocurre.

QUINTA ESCENA: París – en las oficinas del holding

Escudero	Esta gente está muy preparada.
Julio	Son de lo mejor que hay en su profesión.
Escudero	Ya veo, ya.
Julio	Voy a hacer una llamada telefónica a la oficina. Tengo que averiguar algo.
Escudero	Yo le espero aquí.
Julio	Enseguida vuelvo. Oiga. ¿Linda?
Linda	Al aparato.
Julio	Soy Julio.
Linda	Hola. ¿Qué quiere? *10*

Julio	¿Ha habido algún aviso para mí? ¿Alguna carta?
Linda	Pues sí. Ha llegado un télex y hay una carta.
Julio	¿De dónde viene la carta?
Linda	Es de … Caracas. De Venezuela.
Julio	¿Sí, eh? Bueno, ábrela y léemela.
Linda	Un momento … Ya está. Es de RTS. ¿Se la leo entera?
Julio	Si me haces el favor.
Linda	Dice … "Estimado señor Gómez, es muy de mi agrado poder comunicarle que hemos decidido ofrecerle el puesto que había solicitado en nuestra compañía."
Julio	¿Pero no recibieron mi carta?
Linda	¿Qué dice?
Julio	No, nada, sigue.
Linda	Ah, ah. "Los informes que hemos recibido son tan buenos que no consideramos necesario entrevistarle. Nos gustaría que se incorporase a la compañía lo antes posible. No hay más que una condición. Tiene que pasar el examen médico que le hará uno de nuestros propios médicos. Estoy seguro de que no será más que un puro trámite. Y espero tenerle con nosotros muy pronto."
Julio	¿Algo más?
Linda	No. La firma. "Justino Alvarez de la Vega."
Julio	No lo comprendo. Yo le escribí hace más de dos semanas. ¿Qué le habrá pasado a mi carta? Gracias, Linda. Adiós.
Escudero	¿Consiguió hablar?
Julio	Sí. ¿Qué puedo hacer para no pasar un examen médico?

Escudero	¿No pasar un examen médico?
Julio	Sí, ¿qué puedo hacer?
Escudero	Tener alguna enfermedad.
Julio	Lo malo es que estoy sano. No me duele nada.
Escudero	Rómpase una pierna. O hágase el sordo.
Julio	¿Cómo? 50
Escudero	Eso. Cuando el médico le diga que se quite la ropa, usted le dice: ¿Cómo? No le oigo.
Julio	Sería muy difícil. ¡Ay, perdón! Tengo que volver a llamar.
Linda	Dígame.
Julio	Soy yo, otra vez. Me olvidé del télex.
Linda	Lo envió Marisa Ruiz.
Julio	¡No es posible!
Linda	¿Quiere que se lo lea? Dice privado y confidencial. 60
Julio	No importa.
Linda	Como quiera. Empieza con "cariñito mío". ¿Le leo el resto?
Julio	Sí. ¡Qué más da!
Linda	"Ya estoy en Caracas esperándote. He encontrado un apartamento magnífico. Con colchón de agua."
Julio	Marisa está loca.
Linda	"Ya estoy en las oficinas de RTS. Les he dicho que vales muchísimo. Tienes que pasar 70 el examen médico, pero con la salud que tú tienes será puro trámite."
Julio	No hay escape.

Linda	"Les dije que necesitabas una secretaria que te entendiese. Y me dieron el puesto. Volveremos a estar como en Madrid. Qué ganas tengo de verte."
Julio	Gracias, Linda.
Linda	Falta un poco.
Julio	¿Todavía más?
Linda	Sí, dos a tres líneas. Escuche. "Llegó una carta tuya. Yo fui la primera que la vi. Me pareció una tontería y la tiré. Tuviste suerte. El jefe de personal no la vio. Ven pronto, que sin ti me siento muy sola. Muchos besos." Y se acabó.
Julio	Ya lo creo que se acabó.
Linda	¿El qué?
Julio	Nada, nada, Linda.
Linda	Bueno, ¿quiere algo más?
Julio	Sí, prepárame un poco de veneno.

80

90

PRACTICA 5: Cuando uno no se encuentra bien

Guía	El señor Escudero le sugiere a Julio que se haga el enfermo o que tenga un accidente. Cuando ésto ocurre hay que ir al médico. Oigamos lo que se dice en tales casos.
Mujer	¿Por qué no comes?
Hombre 1	No me encuentro bien.
Mujer	¿Qué te pasa?
Hombre 1	Me duele la cabeza.
Mujer	Toma una aspirina.
Hombre 1	Ya la tomé. Y tengo malestar en el estómago.
Mujer	Indigestión. Tal vez has comido algo que te ha hecho daño.

10

Hombre 1	No, ya hace más de una semana que tengo estos síntomas.
Mujer	Tienes que ir al médico.
Hombre 1	Sí, creo que sí.
Hombre 2	Vamos a ver. Dígame. ¿Qué tiene usted?

* * *

Hombre 1	No me encuentro bien.	
Hombre 2	¿Le duele algo?	

* * *

Hombre 1	Sí, me duele la cabeza.	20
Hombre 2	¿Ha tomado algo?	

* * *

Hombre 1	Sí, aspirinas.
Hombre 2	¿Tiene algún otro síntoma?

* * *

Hombre 1	Sí, me duele el estómago.
Hombre 2	¿Ha comido algo fuera de lo normal?

* * *

Hombre 1	No creo. No me he excedido en nada.
Hombre 2	¿Cuánto tiempo hace que tiene estos síntomas?

* * *

Hombre 1	Hace más de una semana.	
Hombre 2	¿Y el intestino, le funciona bien?	30

* * *

Hombre 1	Sólo regular. Tengo algo de diarrea.
Hombre 2	Me parece que no es nada serio. Tome esta medicina antes de las comidas. Y durante unos días coma con moderación.
Hombre 1	Muchas gracias. Adiós.
Guía	Pero me parece que los males de Julio no tienen cura.

SEXTA ESCENA: París – en una agencia de viajes y en el aeropuerto

Julio	Buenos días.
Empleado	Muy buenas, señor.
Julio	Quiero sacar un billete de avión para Caracas.
Empleado	¿Para cuándo?
Julio	El primer vuelo disponible.
Empleado	Vamos a ver. Sí … mañana por la tarde.
Julio	Pues mañana por la tarde.
Empleado	¿Y la vuelta?
Julio	No, ida solamente.
Empleado	Es un vuelo directo de Air France. Sale a las cinco y media.
Julio	Perfectamente.
Empleado	Su nombre, por favor.
Julio	Julio Gómez.
Empleado	Julio …
Altavoz	Air France anuncia la salida de su vuelo 637 con destino a Caracas. Los señores pasajeros con tarjeta de embarque diríjanse, por favor, a la puerta quince.
Luisa	Ese es tu vuelo
Julio	Sí, tengo que irme.
Luisa	¿Cuándo volveremos a verte?
Julio	No lo sé.
Luisa	A lo mejor un buen día vuelves a trabajar con nosotros.
Julio	Bien sabes que me gustaría.
Luisa	Cuando termine tu contrato en Caracas …
Julio	Ya veremos.

10

20

Luisa	¿Cuánto dura el contrato?
Julio	Tres años.
Luisa	Es mucho tiempo.
Julio	Sí que lo es.
Luisa	Bueno, será mejor que arranques.
Julio	Creo que sí.
Luisa	Adiós, Julio.
Julio	Adiós. Y que tengáis suerte con lo de Colombia. Espero que lo consigáis.
Luisa	Esperemos que sí.
Julio	¿Crees que te llevarás bien con Escudero?
Luisa	Sí, sí, ¿por qué no?

30

40